CB025795

SE LIGA NA PSICOLOGIA

LONDRES, NOVA YORK,
MELBOURNE, MUNIQUE E NOVA DÉLI

Editor de projeto sênior Victoria Pyke
Editor de projeto Matilda Gollon
Assistente editorial Ciara Heneghan
Designer sênior Jim Green
Designers Daniela Boraschi, Mik Gates
Ilustradores Daniela Boraschi, Mik Gates, Jim Green, Diane Peyton Jones, Charis Tsevis

Gerente editorial Linda Esposito
Gerentes de arte Michael Duffy, Diane Peyton Jones
Publisher Andrew Macintyre
Diretor de publicação Jonathan Metcalf
Diretor de publicação associado Liz Wheeler
Diretor de arte Phil Ormerod
Controlador de pré-produção Nikoleta Parasaki
Produtor sênior Gemma Sharpe
Editores Manisha Majithia, Maud Whatley
Designer de capa Mark Cavanagh

GLOBOLIVROS

Editor responsável Carla Fortino
Editor assistente Sarah Czapski Simoni
Tradução Bruno Alexander
Revisão Laila Guilherme, Jane Pessoa e Lilian Queiroz
Editoração eletrônica Eduardo Amaral

Editora Globo S. A.
Rua Marquês de Pombal, 25 – 20.230-240
Rio de Janeiro – RJ – Brasil
www.globolivros.com.br

Texto fixado conforme as regras do novo Acordo Ortográfico da Língua Portuguesa (Decreto Legislativo Nº 54, de 1995)

Publicado originalmente na Grã-Bretanha em 2014
por Dorling Kindersley Limited,
80 Strand, Londres WC2R 0RL

2ª edição, 2018
Impressão e acabamento: Ipsis

CIP-BRASIL. CATALOGAÇÃO NA PUBLICAÇÃO
SINDICATO NACIONAL DOS EDITORES DE LIVROS, RJ

W413p
Weeks, Marcus
Se liga na psicologia / Marcus Weeks ; ilustração Daniela Boraschi ... [et al.] ; tradução Bruno Alexander. - 2. ed. - Rio de Janeiro : Globo, 2018.
160 p. : il. ; 24 cm.

Tradução de: *Heads Up Psychology*
ISBN 978-85-250-6701-2

1. Psicologia. I. Boraschi, Daniela. II. Título.
14-13034 CDD: 150 CDU: 159.9

Saiba mais em
www.dk.com

SE LIGA NA PSICOLOGIA

ESCRITO POR
MARCUS WEEKS

CONSULTORIA DE
DR. JOHN MILDINHALL

Sumário

06 O que é PSICOLOGIA?
08 O que os PSICÓLOGOS FAZEM?
10 Métodos de PESQUISA

O que nos MOTIVA?

14 Quem disse que precisamos de PAIS?
16 Não podemos simplesmente CRESCER?
18 Podemos ser MOLDADOS?
20 Não precisamos de EDUCAÇÃO
22 Biografia: IVAN PAVLOV
24 Vivendo e APRENDENDO
26 Por que você AGIU assim?
28 Você sabe o que é CERTO e o que é ERRADO?
30 Biografia: MARY AINSWORTH
32 Nunca é TARDE demais?
34 A psicologia do desenvolvimento NA PRÁTICA

Como nosso CÉREBRO funciona?

38 MENTE é diferente de CÉREBRO?
40 O que acontece dentro do nosso CÉREBRO?
42 O que podemos aprender com as LESÕES CEREBRAIS?
44 Biografia: SANTIAGO RAMÓN Y CAJAL
46 O que é CONSCIÊNCIA?
48 Biografia: VILAYANUR RAMACHANDRAN
50 O poder dos SONHOS...
52 A psicologia biológica NA PRÁTICA

Como nossa MENTE funciona?

56 O que é CONHECIMENTO?

58 Decisões, decisões e mais DECISÕES

60 Por que nos LEMBRAMOS das coisas?

62 Biografia: ELIZABETH LOFTUS

64 Como as memórias são ARMAZENADAS?

66 Não CONFIE na sua memória

68 SOBRECARGA de informações?

70 Biografia: DONALD BROADBENT

72 O fenômeno da LINGUAGEM

74 Estamos nos ENGANANDO?

76 Como COMPREENDEMOS o mundo?

78 Não ACREDITE em seus olhos

80 A psicologia cognitiva NA PRÁTICA

O que nos torna ÚNICOS?

84 O que nos torna tão ESPECIAIS?

86 COMO você é?

88 Biografia: GORDON ALLPORT

90 Quer dizer que você se acha INTELIGENTE?

92 Por que somos tão INSTÁVEIS emocionalmente?

94 O que nos MOTIVA?

96 A PERSONALIDADE muda?

98 Está DESANIMADO?

100 Qual a causa do VÍCIO?

102 Biografia: SIGMUND FREUD

104 O que é NORMAL?

106 Você é LOUCO?

108 Alguém é realmente MAU?

110 É bom FALAR

112 Terapia é a RESPOSTA?

114 Don't worry, be HAPPY!

116 A psicologia das diferenças NA PRÁTICA

Como nos ADEQUAMOS?

120 Você seguiria a MAIORIA?

122 Por que pessoas BOAS fazem coisas MÁS?

124 Não seja tão EGOÍSTA!

126 Biografia: SOLOMON ASCH

128 Problemas de POSTURA?

130 O poder da PERSUASÃO

132 O que o deixa IRRITADO?

134 Biografia: STANLEY MILGRAM

136 Você faz parte do GRUPO?

138 As características de uma EQUIPE VENCEDORA

140 Você consegue BONS RESULTADOS sob PRESSÃO?

142 MENINOS pensam como MENINAS?

144 Por que as pessoas se APAIXONAM?

146 A psicologia social NA PRÁTICA

148 Diretório de psicólogos

152 Glossário

156 Índice remissivo e agradecimentos

O que é **PSICOLOGIA?**

SOMOS SERES FASCINANTES. QUANTO MAIS DE PERTO OLHAMOS, MAIS VEMOS COMO SOMOS COMPLICADOS. A PSICOLOGIA É UMA DISCIPLINA CIENTÍFICA DEDICADA À COMPREENSÃO DAQUILO QUE NOS FAZ SER O QUE SOMOS. POR MEIO DO ESTUDO DE NOSSA MENTE E DE NOSSO COMPORTAMENTO, A PSICOLOGIA DESVENDA A ENORME COMPLEXIDADE DOS SERES HUMANOS.

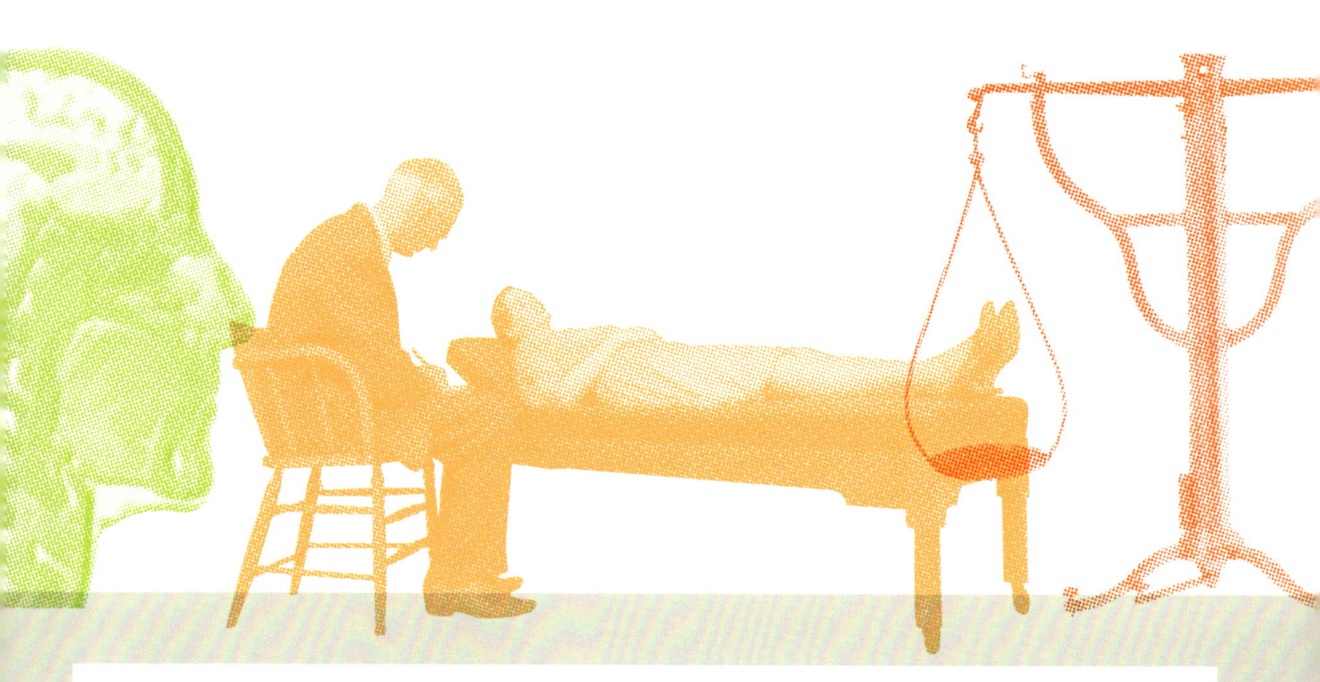

Pense na última em vez que você pegou um ônibus ou um trem. Você reparou em alguém? Você chegou a puxar conversa com algum passageiro? Em caso afirmativo, isso aconteceu porque você é uma pessoa naturalmente expansiva, ou havia algo específico na situação que o levou a falar? Talvez você tenha se perguntado por que agiu dessa maneira. Essa curiosidade sobre o comportamento das pessoas é o que motiva os psicólogos, e eles vivem fazendo perguntas como essas. A psicologia é o estudo do comportamento e da mente humana. Mas o que é a mente? A mente não é uma coisa física, também não é o mesmo que cérebro. É o conceito de um mecanismo com uma série de habilidades ou funções. Não importa que não sejamos capazes de enxergar a mente ou desmontá-la para ver como funciona. Os psicólogos procuram imaginar seu funcionamento e observam as pessoas, para ver se o comportamento delas condiz com o que eles estudaram. Mas não é fácil estudar as pessoas. Quanto mais tentamos

observá-las, mais elas mudam. Mesmo assim, temos feito grandes avanços nessa área e já compreendemos como as memórias são formadas, por que cometemos erros, como interpretamos o que vemos e de que maneira nos comunicamos com os outros. Esses avanços, por sua vez, permitiram que nos tornássemos melhores professores, criássemos um sistema de justiça mais efetivo, desenvolvêssemos máquinas mais seguras, tratássemos distúrbios mentais e fizéssemos muitos outros avanços. A jornada rumo à compreensão da mente e do comportamento humano já dura 140 anos, mas estamos apenas no começo. Todos os dias, os psicólogos descobrem novas e surpreendentes formas de comportamento humano, mas ainda temos um longo caminho pela frente até podermos dizer que realmente entendemos a mente.

O que os PSICÓLOGOS FAZEM?

PSICOLOGIA ACADÊMICA

Psicólogo social

Os psicólogos sociais estão interessados em como as pessoas se comportam quando estão juntas. Eles estudam interação humana, comunicação, atitudes, amizade, amor e conflito.

Psicólogo cognitivo

Em experiências planejadas com cuidado, os psicólogos cognitivos procuram definir os mecanismos que constituem nossa mente – como a memória – e determinam nosso comportamento.

Psicólogo biológico

Também conhecidos como neuropsicólogos ou biopsicólogos, os psicólogos biológicos utilizam tomógrafos e outros equipamentos de alta tecnologia para estudar o cérebro e as bases biológicas de nosso comportamento.

PSICOLOGIA MÉDICA

Psicólogo clínico

Os psicólogos clínicos geralmente trabalham em hospitais e utilizam diversos tipos de terapia para ajudar as pessoas a lidarem com distúrbios mentais, como depressão ou esquizofrenia.

Neuropsicólogo clínico

Por meio da terapia, os neuropsicólogos clínicos podem ajudar pessoas que sofreram algum tipo de lesão cerebral a recuperar as habilidades perdidas em consequência disso.

PSICOLOGIA APLICADA

Psicólogo organizacional

Como uma empresa pode aproveitar ao máximo seus funcionários? Os psicólogos organizacionais trabalham nesse setor, ajudando as pessoas a serem mais eficientes e felizes no trabalho.

Pesquisador/designer de experiência do usuário

Utilizando técnicas de pesquisa psicológica, pesquisadores e designers de experiência do usuário criam sites e softwares envolventes, intuitivos e indispensáveis.

AS ATIVIDADES DOS PSICÓLOGOS SÃO MUITO VARIADAS, E OS PSICÓLOGOS ACADÊMICOS REPRESENTAM APENAS UMA PEQUENA FRAÇÃO DE PESSOAS COM QUALIFICAÇÕES PARA O EXERCÍCIO DA PROFISSÃO. A PSICOLOGIA PODE SER ÚTIL EM QUALQUER ÁREA ONDE A QUALIDADE DO COMPORTAMENTO HUMANO SEJA UM FATOR FUNDAMENTAL, INCLUINDO ESPORTES, EDUCAÇÃO, SAÚDE E AVIAÇÃO. ALÉM DISSO, GRANDE PARTE DO QUE OS PSICÓLOGOS APRENDEM PODE SER USADO EM OUTRAS CARREIRAS.

O estudo do desenvolvimento de nossa mente ao longo do tempo permite que os psicólogos evolutivos compreendam de onde vêm habilidades como linguagem e raciocínio.

Psicólogo evolutivo

Como deixamos de ser crianças indefesas e nos tornamos adultos cheios de habilidades? O estudo do desenvolvimento permite que psicólogos compreendam como desenvolvemos nossa mente à medida que crescemos.

Psicólogo do desenvolvimento

Estes psicólogos procuram as melhores formas de ensino. Eles testam diferentes teorias educacionais e desenvolvem maneiras de aprimorar as técnicas de ensino.

Psicólogo educacional

Estes psicólogos concentram-se no que faz com que cada pessoa seja única. Isso inclui ideias sobre personalidade, emoções, inteligência, identidade e saúde mental.

Psicólogo das diferenças individuais

Utilizando diferentes métodos de orientação, estes psicólogos ajudam as pessoas a enfrentar e superar desafios na vida, como luto ou problemas de relacionamento.

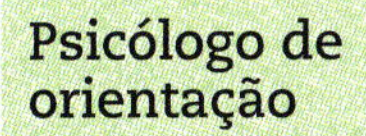

Psicólogo de orientação

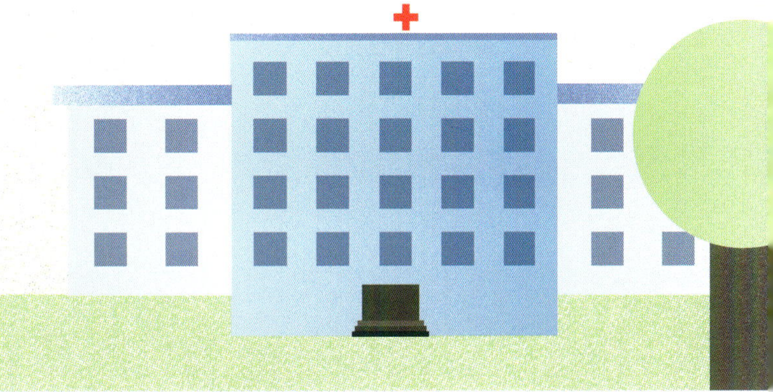

Os especialistas em fatores humanos costumam trabalhar no, setor de transportes, melhorando o projeto de placas, controles e interfaces, para ampliar a segurança nas estradas e no espaço aéreo.

Especialista em fatores humanos

Muitos psicólogos trabalham na área de recursos humanos e gestão de pessoas. Atuam em desenvolvimento profissional, avaliações e resolução de qualquer problema pertinente ao setor.

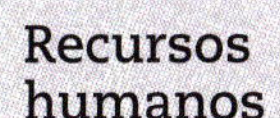

Recursos humanos

Métodos de **PESQUISA**

ESTE LIVRO APRESENTA UMA VISÃO GERAL DE ALGUMAS DAS MAIS IMPORTANTES DESCOBERTAS DA PSICOLOGIA. VOCÊ PODE ESTAR SE PERGUNTANDO COMO OS PSICÓLOGOS CHEGARAM A ESSES RESULTADOS E TEORIAS. OS MÉTODOS DE PESQUISA NA PSICOLOGIA TORNARAM-SE CADA VEZ MAIS COMPLEXOS AO LONGO DOS ANOS, MAS A ABORDAGEM BÁSICA CONTINUA SENDO A MESMA. O USO DOS MÉTODOS CORRETOS PERMITE QUE OS PSICÓLOGOS CONDUZAM PESQUISAS PRECISAS E CONFIÁVEIS NAS QUAIS BASEAR SUAS TEORIAS.

Condições de laboratório

Os psicólogos realizam experiências em laboratórios, criando duas ou mais condições controladas para tentar medir a diferença de comportamento entre essas condições. Por exemplo, um grupo de pessoas recebe uma bebida com cafeína para beber, enquanto outro grupo toma uma bebida descafeinada num teste para verificar se a cafeína afeta ou não nosso tempo de reação. Os pesquisadores poderão chegar a conclusões sobre os efeitos das diferentes condições em nosso comportamento.

Profundo e significativo

Alguns psicólogos estão interessados no significado por trás do comportamento das pessoas, utilizando técnicas qualitativas para explorar tópicos em que suas observações não são facilmente convertidas em números. Por exemplo, para investigar a natureza da nostalgia, um psicólogo pode fazer uso de entrevistas e questionários para descobrir mais a respeito da experiência de cada pessoa. Depois ele interpreta esse material subjetivo para tirar conclusões sobre o comportamento humano.

Análise estatística

Algumas das informações mais seguras da psicologia vêm de métodos quantitativos (numéricos). Os psicólogos desenvolvem uma série de testes para medir e comparar a personalidade das pessoas, por exemplo, e prever como elas se comportarão no futuro. Esses dados podem ser usados para construir gráficos – mostrando como a personalidade varia de acordo com a região, por exemplo. A vantagem de utilizar essa abordagem está na capacidade de revelar padrões não tão evidentes em outros métodos.

Na vida real

Nem sempre é possível obter resultados expressivos por meio de experiências controladas ou técnicas qualitativas, como entrevistas. Em casos nos quais o comportamento depende do ambiente ou da situação – por exemplo, transporte público –, os psicólogos entram na situação para tentar analisar o comportamento de maneira sistemática. Os pesquisadores precisam ser extremamente cuidadosos para não interferir no comportamento estudado, caso contrário prejudicarão os resultados.

O que nos **MOTIVA?**

A psicologia do desenvolvimento concentra-se em nossas mudanças ao longo da vida e nos estágios pelos quais passamos desde o nascimento, a infância e os anos turbulentos da adolescência até a idade adulta e a velhice. Inclui o estudo de como adquirimos habilidades e conhecimento e aprendemos a discernir o bom do mau comportamento.

Quem disse que precisamos de PAIS?

Não podemos simplesmente CRESCER?

Podemos ser MOLDADOS?

Não precisamos de EDUCAÇÃO

Vivendo e APRENDENDO

Por que você AGIU assim?

Você sabe o que é CERTO e o que é ERRADO?

Nunca é TARDE demais?

Quem disse que

QUANDO PEQUENOS, PRECISAMOS DOS ADULTOS PARA CUIDAR DE NÓS, NOS ALIMENTAR E PROTEGER. ESSES SERES PROTETORES, GERALMENTE NOSSOS PAIS, TAMBÉM SÃO IMPORTANTES PARA NOSSO DESENVOLVIMENTO PSICOLÓGICO. CRIAMOS VÍNCULOS EMOCIONAIS COM ELES DESDE CEDO, O QUE NOS DÁ A SEGURANÇA NECESSÁRIA PARA EXPLORAR E CONHECER O MUNDO.

Veja também: 30–31

Criando vínculos cruciais

Ao estudar o comportamento dos animais, o biólogo do século XX Konrad Lorenz reparou no forte laço que havia entre os filhotes de ganso estudados e sua mãe. Lorenz observou que os filhotes de aves criam um vínculo com a primeira coisa que veem se mexendo quando saem do ovo – geralmente a própria mãe, mas poderia ser também uma "mãe alheia". O biólogo concluiu que esse comportamento não é algo aprendido, mas um fenômeno instintivo que ele batizou de "imprinting", ou "cunhagem". Mais tarde os psicólogos começaram a se interessar pelo vínculo existente entre bebês recém-nascidos e seus pais, vínculo que chamaram de "apego". John Bowlby, um dos primeiros psicólogos a estudar o apego, observou crianças que haviam sido separadas de seus pais por um longo período de tempo, entre elas as que foram afastadas de seu país de origem durante a Segunda Guerra Mundial. Bowlby notou que muitas dessas crianças desenvolveram problemas intelectuais, sociais e emocionais mais adiante. Sua conclusão foi que, nos primeiros 24 meses de vida, as crianças têm a necessidade de criar vínculo com pelo menos um adulto que possa cuidar dela – normalmente um dos pais, sobretudo a mãe. O apego diferencia-se de outros tipos de relacionamento na medida em que constitui um forte laço emocional permanente com uma pessoa específica, que, se abalado, poderá gerar consequências de longo prazo no desenvolvimento.

O AMOR MATERNO NA INFÂNCIA É TÃO IMPORTANTE PARA A SAÚDE MENTAL QUANTO VITAMINAS E PROTEÍNAS PARA A SAÚDE FÍSICA.

JOHN BOWLBY

O perigo do estranho

Mary Ainsworth, que trabalhou por um tempo com Bowlby em Londres, deu continuidade a essa pesquisa. Ainsworth acreditava que a figura de apego (o ser protetor a quem a criança se vincula) representa uma base segura a partir da qual a criança pode aprender a explorar o mundo. Na experiência que apelidou de "situação estranha", a psicóloga estudou a reação das crianças diante de um

EXISTEM TRÊS TIPOS DE APEGO...

SEGURO

ESSAS CRIANÇAS ESTÃO DISPOSTAS A INTERAGIR COM ESTRANHOS NA PRESENÇA DA MÃE, MAS FICAM AFLITAS QUANDO ELA VAI EMBORA E FELIZES DE VÊ-LA VOLTAR.

precisamos de PAIS?

Crianças com problemas de apego geralmente agem como se fossem mais novas – tanto social quanto emocionalmente.

estranho, primeiro com a mãe presente e depois sem a presença dela. Os resultados (mostrados nos balões) revelaram que existem três tipos diferentes de apego: o apego seguro, o apego ansioso-resistente e o apego ansioso-evitante. Um apego seguro serve de modelo para o desenvolvimento de futuros relacionamentos. Em contrapartida, crianças com apegos não seguros, conforme observado, costumam ter mais dificuldades em desenvolver relacionamentos estáveis na vida.

ANSIOSO--EVITANTE
ESSE TIPO DE CRIANÇA IGNORA A MÃE QUANDO ESTÁ BRINCANDO E, EMBORA NÃO GOSTE DE FICAR SOZINHA, CONSEGUE SER FACILMENTE CONFORTADA POR UM ESTRANHO.

Uma única grande família

Embora Bowlby e Ainsworth enfatizassem a importância do relacionamento entre mãe e filho, alguns psicólogos acreditam que uma criança pode criar vínculos com outras pessoas e ainda ter um desenvolvimento saudável. Michael Rutter mostrou que as crianças podem criar fortes laços de apego com o pai, irmãos, os amigos ou até objetos inanimados. Bruno Bettelheim também questionou o valor do vínculo específico mãe--filho. Num estudo realizado num *kibutz* israelense, onde as crianças cresciam em uma comunidade longe da casa da família, Bettelheim encontrou poucos indícios de desordens emocionais. Aliás, as crianças, de modo geral, tinham uma vida social bastante ativa e desenvolviam uma boa carreira no futuro. Os críticos ressaltam, porém, que elas também tendiam a formar menos relacionamentos próximos na idade adulta.

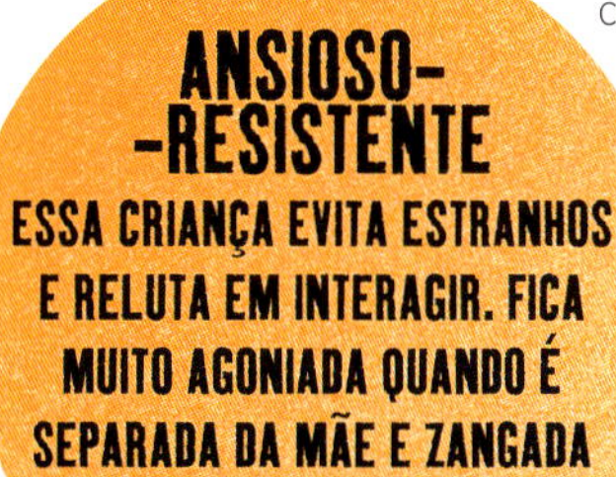

MACACOS FOFINHOS

O psicólogo americano Harry Harlow pôs filhotes de macaco em contato com duas "mães alternativas". Uma era feita só de arame e um bico de mamadeira, de onde saía leite, e outra era revestida de um material felpudo. Os macacos iam se alimentar na mãe-mamadeira, mas logo voltavam para a mãe-fofinha em busca de aconchego. A experiência serviu para ressaltar a importância de satisfazer as necessidades emocionais das crianças tanto quanto suas necessidades físicas.

Não podemos simplesmente CRESCER?

EM GRANDE PARTE DA HISTÓRIA, AS CRIANÇAS FORAM CONSIDERADAS SIMPLESMENTE "ADULTOS EM MINIATURA" – OU SEJA, COM MENTES QUE FUNCIONAVAM DA MESMA MANEIRA, MAS SEM O MESMO CONHECIMENTO. SÓ NO SÉCULO XX É QUE OS PSICÓLOGOS SE DERAM CONTA DE QUE NOSSA MENTE, ASSIM COMO NOSSO CORPO, SE DESENVOLVE À MEDIDA QUE CRESCEMOS.

O CÉREBRO DOS ADOLESCENTES ESTÁ NUM ESTÁGIO DE DESENVOLVIMENTO QUE FAZ COM QUE ELES ASSUMAM MAIS RISCOS DO QUE OS ADULTOS.

AO ENVELHECERMOS, PASSAMOS POR DIFERENTES ESTÁGIOS DE DESENVOLVIMENTO...

0–1 ANO
APRENDEMOS A CONFIAR EM NOSSOS PAIS E ENCONTRAR SEGURANÇA, O QUE SE TORNA A BASE DE NOSSO SENSO DE IDENTIDADE.

1–3 ANOS
COMEÇAMOS A DESENVOLVER INDEPENDÊNCIA E FORÇA DE VONTADE EXPLORANDO O MUNDO, MAS TAMBÉM APRENDEMOS A LIDAR COM FRACASSO E DESAPROVAÇÃO.

3–6 ANOS
DESENVOLVEMOS A CRIATIVIDADE, MAS APRENDEMOS QUE NÃO PODEMOS FAZER O QUE QUISERMOS, POIS NOSSAS AÇÕES AFETAM OS OUTROS.

6–12 ANOS
APRENDEMOS NOVAS HABILIDADES E DESCOBRIMOS NOSSOS TALENTOS, DESENVOLVENDO A AUTOCONFIANÇA.

12–18 ANOS
COMEÇAMOS A PENSAR NO PROPÓSITO DA VIDA E EM NOSSO LUGAR NA SOCIEDADE, DESENVOLVENDO NOSSO SENSO DE IDENTIDADE.

Civilizando-se

Pioneiro no campo da psicologia do desenvolvimento, G. Stanley Hall foi o primeiro psicólogo a afirmar que nossa mente se desenvolve em diferentes estágios: infância, adolescência e idade adulta. Segundo Hall, depois de nosso crescimento inicial na infância, passamos pela época turbulenta dos anos da adolescência, de acanhamento, sensibilidade exagerada e irresponsabilidade, até nos tornarmos adultos "civilizados", de acordo com suas próprias palavras. Na década de 1930, o psicólogo suíço Jean Piaget chegou à conclusão de que os primeiros anos da infância são essenciais, descrevendo quatro estágios de desenvolvimento mental pelos quais toda criança passa, na mesma sequência. De acordo com sua teoria, as crianças só avançam para o estágio seguinte depois de completado o estágio em que estão. Uma das principais ideias de Piaget é que as crianças se desenvolvem pela experiência direta do mundo à sua volta, não por meio do ensino. Explorando as coisas sozinhas, as crianças vão, aos poucos, construindo habilidades e adquirindo conhecimento.

Veja também: 24–25, 28–29, 32–33

18–35 ANOS
DESENVOLVEMOS NOVOS RELACIONAMENTOS DE INTIMIDADE E AMIZADE, FORTALECENDO OS JÁ EXISTENTES.

Explorando o mundo

No primeiro estágio de Piaget (0–2 anos), as crianças vivenciam as coisas à sua volta por meio dos sentidos – visão, audição, tato, paladar e olfato – e aprendem a controlar os movimentos do corpo. Nesse estágio "sensório-motor", elas tornam-se conscientes dos objetos e das outras pessoas, mas enxergam tudo a partir de um ponto de vista próprio, sem entender que os outros têm uma visão diferente. No "estágio pré-operacional" (2–7 anos), as crianças desenvolvem novas habilidades, como a capacidade de deslocar e organizar objetos – de acordo com seu peso ou cor, por exemplo. Nesse estágio, as crianças também passam a entender que as outras pessoas têm seus próprios pensamentos e sentimentos. No terceiro estágio, o "estágio operacional concreto" (7–11 anos), as crianças são capazes de realizar operações mais lógicas, mas apenas com objetos físicos. Por exemplo, elas entendem que, se despejarem o conteúdo de um copo curto e largo num copo longo e estreito, a quantidade de líquido continua sendo a mesma. Só no quarto estágio, o "estágio operacional formal" (11 anos em diante), é que as crianças vão além disso e conseguem pensar em ideias abstratas como amor, medo, culpa, inveja e a noção de certo e errado.

A MENTE DE UMA CRIANÇA É FUNDAMENTALMENTE DIFERENTE DA MENTE DE UM ADULTO.

JEAN PIAGET

ADMIRANDO-SE

Num estudo criado para medir a autoconsciência infantil, crianças de 6 a 24 meses foram colocadas em frente a um espelho depois de alguém ter pintado uma bolinha vermelha em seu nariz sem elas perceberem. Quando lhes perguntaram "Quem é esse?", as crianças mais novas pensaram que o reflexo era outra criança, mas as mais velhas reconheceram-se, apontando para a manchinha no nariz. Esse estudo revelou que desenvolvemos um senso de autoconsciência aos 18 meses, aproximadamente.

Os prós e contras da vida

O conceito de Piaget sobre os diferentes estágios de desenvolvimento mental nas crianças foi bastante influente, tanto na psicologia quanto na educação. Alguns psicólogos, porém, afirmaram que nosso desenvolvimento não termina na idade adulta e que continuamos evoluindo psicologicamente a vida toda. Na década de 1950, Erik Erikson identificou oito estágios de desenvolvimento psicossocial, da infância à velhice, apresentando uma espécie de "planta baixa", em que cada estágio é definido por um conflito entre aspectos positivos e negativos de nossa vida – na escola ou no trabalho, e nos relacionamentos com nossa família e amigos. Por exemplo, dos 3–6 anos, enfrentamos um conflito entre iniciativa e culpa: começamos a fazer as coisas do jeito que queremos, mas nos sentimos culpados se nossas ações prejudicam os outros. Dos 18–35, o conflito é entre intimidade ou isolamento: desenvolvemos relacionamentos próximos, mas, se eles não derem certo, nos sentimos sozinhos. No estágio final, alcançaremos um senso de realização desde que tenhamos vivido os aspectos positivos dos estágios anteriores.

35–65 ANOS
ESTABILIZAMO-NOS E ALCANÇAMOS UM SENSO DE REALIZAÇÃO, TALVEZ PELA CRIAÇÃO DOS FILHOS OU PROGRESSO PROFISSIONAL.

65 ANOS EM DIANTE
TEMOS UM SENSO DE SATISFAÇÃO E REALIZAÇÃO PELO QUE ALCANÇAMOS NA VIDA.

Podemos

GOSTAMOS DE PENSAR QUE TEMOS O CONTROLE DO QUE FAZEMOS E DE NOSSAS ESCOLHAS NA VIDA. MAS NOSSO COMPORTAMENTO É, ATÉ CERTO PONTO, MOLDADO PELOS ACONTECIMENTOS E PELAS NOSSAS REAÇÕES A ESSES ACONTECIMENTOS. ALGUNS PSICÓLOGOS ACREDITAM QUE É POSSÍVEL MOLDAR NOSSO COMPORTAMENTO E, INCLUSIVE, TREINAR AS PESSOAS PARA FAZEREM QUALQUER COISA.

Escolha de carreira?
John B. Watson acreditava que nascemos sem saber nada, mas que nosso caminho na vida – incluindo nossa futura carreira – pode ser controlado por meio do condicionamento.

PODEMOS SER TREINADOS PARA FAZER QUALQUER COISA.

Estímulo e resposta

Foi um fisiologista russo, não um psicólogo, o responsável pelas primeiras descobertas sobre como os animais podem ser estimulados a reagir de uma determinada maneira. Ivan Pavlov estava realizando experiências para medir a quantidade de saliva secretada pelos cachorros durante a alimentação, quando percebeu que eles salivam mesmo diante da mera possibilidade de comer. Intrigado, Pavlov resolveu aprofundar a investigação, tocando uma campainha toda vez que a comida ia ser servida. O fisiologista russo observou que os cães aprendiam logo a associar a campainha com a comida e, depois de um tempo, começavam a salivar ao mero toque da campainha – mesmo sem a comida. Pavlov explicou que os cães haviam sido "condicionados" a reagir à campainha. Quando salivavam ao ver a comida, a reação era "incondicionada", mas eles adquiriram uma reação "condicionada" ao estímulo sonoro. Esse padrão de estímulo e reação ficou conhecido como "condicionamento clássico".

Nascemos como folhas de papel em branco

Um grupo de psicólogos conhecidos como behavioristas baseou-se na teoria do condicionamento clássico de Pavlov para explicar o comportamento humano. John B. Watson acreditava que as crianças são como "folhas de papel em branco" – nascem sem nenhum conhecimento e podem aprender qualquer coisa por meio do condicionamento clássico. Segundo Watson, as emoções humanas de medo, fúria e amor são o segredo para entender nosso comportamento. Ele

ser MOLDADOS?

demonstrou que podemos ser condicionados a dar uma dessas respostas emocionais em reação a um determinado estímulo, exatamente como os cachorros de Pavlov, condicionados a uma reação física (veja o quadro "O pequeno Albert", abaixo). Mas o uso de Watson do condicionamento em humanos gerou muitas controvérsias, e os psicólogos posteriores preferiram não condicionar seres humanos, sobretudo crianças.

> DÊ-ME UMA DÚZIA DE CRIANÇAS SAUDÁVEIS [...] QUE EU **GARANTO** QUE TRANSFORMO QUALQUER UMA, POR MEIO DE TREINAMENTO, EM QUALQUER TIPO DE **ESPECIALISTA.**
>
> JOHN B. WATSON

Tentativa e erro

Outros psicólogos behavioristas continuaram a realizar experiências com animais, acreditando que as descobertas feitas poderiam ser aplicadas ao comportamento humano. Edward Thorndike concebeu uma série de experimentos para demonstrar que os gatos sabiam resolver problemas. Um gato faminto foi colocado numa "caixa quebra-cabeça" cuja saída dependia do acionamento de alguns dispositivos mecânicos, como um botão ou uma alavanca. Como motivação para o felino, havia comida do lado de fora. Thorndike observou que os gatos descobriam o mecanismo por tentativa e erro, ignorando qualquer ação malsucedida. A conclusão foi que os animais, incluindo os humanos, aprendem associando ações e resultados. O sucesso e a recompensa fortalecem essas associações, que se consolidam pela repetição. Edwin Guthrie também estudou animais em caixas quebra-cabeça, confirmando que eles aprendiam a associar ações com recompensas. À diferença de Thorndike, contudo, Guthrie afirmou que não era necessário repetir a ação para haver aprendizado. O exemplo que ele deu foi o de um rato que descobre uma fonte de comida: "Se o rato faz uma visita ao saco de grãos, podemos ter certeza de que voltará".

Seguindo os passos de Ivan Pavlov, muitos adestradores de cães usam o condicionamento clássico para treinar seus animais de estimação.

MÉDICO

Veja também: 26–27, 28–29

O PEQUENO ALBERT

John B. Watson conduziu uma série de experimentos controversos com um bebê de nove meses, "O pequeno Albert", fazendo-o associar o aparecimento de um rato branco (e outros bichos brancos peludos) com um estímulo aversivo (som extremamente alto). Albert tornou-se condicionado a ter medo de qualquer coisa branca e peluda. Hoje em dia, esse tipo de experiência de condicionamento em humanos é considerado antiético, pois pode causar traumas.

Brincar com blocos coloridos ajuda as crianças a aprender geometria e obter noção espacial.

Não precisamos de EDUCAÇÃO

APRENDEMOS

O APRENDIZADO SEMPRE FOI VISTO COMO UMA SIMPLES QUESTÃO DE MEMORIZAR INFORMAÇÕES, MAS, COM O ESTUDO PSICOLÓGICO DA NOSSA MANEIRA DE APRENDER AS COISAS, AS IDEIAS SOBRE EDUCAÇÃO MUDARAM. OS PSICÓLOGOS DESCOBRIRAM QUE APRENDER POR REPETIÇÃO NÃO É O MELHOR MÉTODO – PRECISAMOS ESTUDAR, MAS O MODO DE ESTUDAR TAMBÉM É MUITO IMPORTANTE.

Para não esquecer mais

A forma de aprendermos as coisas e como nossa memória funciona são assuntos de grande interesse para os psicólogos. Hermann Ebbinghaus, psicólogo pioneiro do século XIX, estudou a memória e descobriu que, quanto mais tempo passamos memorizando algo, mais chance temos de nos lembrar do assunto, confirmando a ideia de que, para aprender alguma coisa direito, devemos estudar bastante e com frequência. Um século depois, os psicólogos behavioristas afirmaram que aprendemos por experiência, e que quando somos recompensados por algo que fazemos, lembramos da recompensa e ficamos propensos a repetir aquela ação. Alguns behavioristas, entre eles Edward Thorndike e B. F. Skinner, também chamaram a atenção para a importância de reforçar o aprendizado pela repetição – revisar o que aprendemos para não esquecer mais. Ao contrário de Ebbinghaus, porém, Skinner dizia que deve haver algum tipo de recompensa para cada repetição bem-sucedida. Skinner inventou uma "máquina de ensinar", que dava feedback aos alunos em forma de elogio por respostas corretas e de necessidade de repetição no caso de respostas incorretas.

A compreensão é a chave do aprendizado

O próprio Ebbinghaus percebeu que há muito mais na questão do aprendizado verdadeiro do que a mera repetição. Ele descobriu que nos lembramos muito melhor das coisas se elas tiverem algum significado ou importância para nós.

A ARTE DE FAZER BOAS **PERGUNTAS** É TÃO IMPORTANTE QUANTO A ARTE DE DAR **BOAS RESPOSTAS.**

JEROME BRUNER

MELHOR POR MEIO DA EXPERIÊNCIA PRÁTICA

Aprendizado interativo

Crianças de diferentes idades têm diferentes necessidades no que se refere à educação. Jean Piaget enfatizou a importância da prática – realizar uma experiência, por exemplo, ou construir um modelo.

ESCONDE-ESCONDE

De acordo com Piaget, as crianças só têm como aprender aquilo que se enquadra em seu estágio de desenvolvimento. Numa determinada experiência, Piaget mostrava um brinquedo para as crianças e depois o escondia com uma toalha, na frente delas. Os resultados mostraram que as crianças com mais de oito meses procuravam o brinquedo debaixo da toalha, mas as com menos de oito meses não entendiam que o brinquedo ainda estava ali, apesar de oculto.

Veja também: 16–17, 56–57, 58–59

Psicólogos posteriores retomaram essa ideia com outra abordagem, estudando o que acontece em nossa mente durante o processo de aprendizado, sem se preocuparem com a questão da memorização. Desde que Ebbinghaus demonstrou a relação entre memória e significado, os psicólogos passaram a acreditar que nosso processo de aprendizado está atrelado à tentativa de compreensão das coisas. Wolfgang Köhler afirmou que, ao tentarmos solucionar problemas, compreendemos como as coisas funcionam. Edward Tolman foi mais longe, afirmando que desenvolvemos um "mapa" mental do mundo a partir do que aprendemos. Unindo essas ideias com seu próprio conceito da mente como processadora de informações, Jerome Bruner mostrou que o aprendizado não é uma questão de colocar informações em nossa memória, mas um processo que envolve pensamento e raciocínio. Para aprendermos qualquer coisa, precisamos primeiro compreendê-la.

Faça para aprender

Jean Piaget abordou a ideia do aprendizado de um outro ângulo, baseando-se nos estágios de desenvolvimento mental que observou nas crianças. Segundo Piaget, o aprendizado infantil é um processo que muda para se adequar às limitações de cada estágio de desenvolvimento. Piaget incorporou as ideias behavioristas sobre aprendizado infantil por tentativa e erro, sobretudo nos primeiros estágios, ao conceito cognitivo de aprendizado por meio da compreensão do mundo à nossa volta. O mais importante, contudo, dizia Piaget, é que a educação seja centrada na criança – voltada para as necessidades e capacidades individuais –, a fim de incentivá-la a usar a imaginação no processo de descobrimento e compreensão do mundo. Nos primeiros estágios, esse processo constitui o que chamamos de "brincadeira" (algo muito sério do ponto de vista infantil). À medida que a criança cresce, o aprendizado passa a ser pela experiência direta, interativa, em contraposição ao aprendizado automático, adquirido com um professor ou um livro.

> O OBJETIVO DA **EDUCAÇÃO** É CRIAR HOMENS E MULHERES CAPAZES DE FAZER **COISAS NOVAS.**
>
> JEAN PIAGET

IVAN PAVLOV

1849–1936

Nascido em Riazan, Rússia, Ivan Pavlov começou seus estudos com intenção de se tornar padre, como o pai, mas abandonou a faculdade de teologia e mudou-se para São Petersburgo a fim de estudar ciências e cirurgia médica. Pavlov tornou--se professor da Academia Médica Militar e, mais tarde, diretor do Instituto de Medicina Experimental. Apesar de ser conhecido como um brilhante fisiologista, seu trabalho estabeleceu os fundamentos da psicologia behaviorista.

JANTAR DE CACHORRO

Pavlov ficou famoso por suas experiências com cachorros salivantes. Percebeu que os cachorros salivavam ante a expectativa de comer – o que ele chamou de resposta incondicionada a um estímulo incondicionado. Se ele tocasse uma campainha cada vez que a comida era servida, os cães salivavam sempre que a campainha tocava. Esse processo de provocar reações específicas a determinados estímulos ficou conhecido como condicionamento clássico.

RESPOSTAS REVERSÍVEIS

Em experiências posteriores, Pavlov mostrou que o condicionamento pode ser revertido. Os cães que haviam sido condicionados a salivar ao toque de uma campainha, por exemplo, poderiam "desaprender" essa resposta se nenhuma comida lhes fosse servida. Pavlov também demonstrou que os animais podiam ser condicionados a responder com medo ou ansiedade caso o estímulo fosse associado a uma punição, como choque elétrico, em vez de uma recompensa.

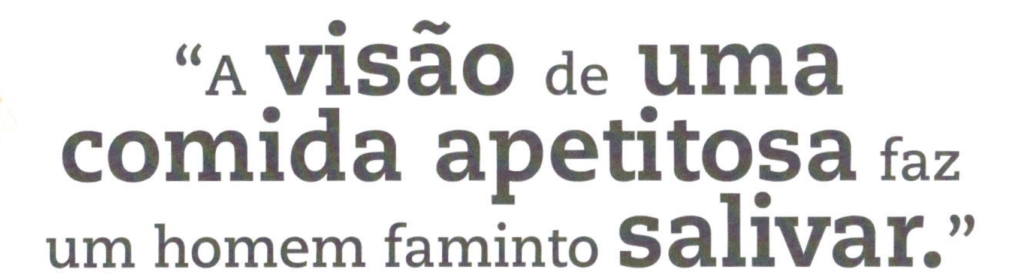

Pavlov foi indicado ao Prêmio Nobel por quatro anos consecutivos, ganhando o prêmio por seu trabalho nos campos da medicina e da fisiologia em 1904.

CONDIÇÕES ESTRITAS

Os psicólogos foram influenciados tanto pelas descobertas de Pavlov quanto pelos métodos que ele usava. Fiel à sua formação científica, Pavlov realizava suas experiências em condições bastante estritas. A psicologia dava seus primeiros passos como disciplina isolada no final do século XIX, e, adotando a abordagem metódica de Pavlov, os psicólogos estabeleceram a nova ciência da psicologia experimental.

CRÍTICA ABERTA

Pavlov era diretor do Instituto de Medicina Experimental quando o tzar foi deposto durante a Revolução Russa e a União Soviética comunista foi estabelecida. Embora o governo o tivesse em alta estima e financiasse seu trabalho, Pavlov detestava o regime comunista e chegou a escrever muitas cartas aos líderes soviéticos, protestando contra a perseguição a intelectuais russos.

Vivendo e **APREN**

NO PASSADO, PARECIA ÓBVIO QUE PAIS E PROFESSORES ERAM OS RESPONSÁVEIS POR PASSAR INFORMAÇÕES AOS MAIS JOVENS, MOSTRANDO-LHES COMO FAZER AS COISAS, MAS NOVAS IDEIAS SUGEREM QUE AS CRIANÇAS APRENDEM DESCOBRINDO O MUNDO POR CONTA PRÓPRIA. OS PSICÓLOGOS, DESDE ENTÃO, ESTUDAM QUANTO SOMOS CAPAZES DE APRENDER SOZINHOS E SE PRECISAMOS OU NÃO DE OUTRAS PESSOAS NO PROCESSO DE APRENDIZAGEM.

SIM

APRENDEMOS AS COISAS EXPLORANDO E DESCOBRINDO O MUNDO POR CONTA PRÓPRIA. NOSSOS PAIS E PROFESSORES SERVEM APENAS DE ORIENTAÇÃO E INCENTIVO.

SIM E NÃO

APRENDEMOS AS COISAS POR CONTA PRÓPRIA, MAS EM CONTATO COM OUTRAS PESSOAS, E PRECISAMOS, SIM, DE UM INSTRUTOR PARA NOS AJUDAR NO PROCESSO DE APRENDIZAGEM.

NÃO

PRECISAMOS DOS OUTROS PARA APRENDER AS COISAS. DEVEMOS INTERAGIR COM NOSSOS SEMELHANTES E COM A SOCIEDADE EM QUE FOMOS CRIADOS E PRECISAMOS DA ORIENTAÇÃO DE NOSSOS PAIS E PROFESSORES.

PODEMOS APRENDER AS COISAS SOZINHOS?

Jovens cientistas

Jean Piaget foi um dos primeiros a questionar o papel tradicional de pais e professores na educação das crianças, afirmando que eles não devem impor o aprendizado, mas incentivar as crianças a aprender por conta própria. Piaget acreditava que as crianças precisavam explorar o mundo sozinhas, desenvolvendo a criatividade. Em essência, sua teoria baseava-se na ideia de que o aprendizado é um processo pessoal – cada criança tem o seu. Uma criança, dizia Piaget, é como um cientista fazendo experiências para ver como as coisas funcionam e aprendendo os princípios por meio da observação e da compreensão dos resultados. Essas ideias tiveram grande influência e inspiraram a introdução de mais sistemas centrados nas crianças, nos quais elas aprendem com atividades práticas, e não pela observação passiva.

Brincar em espaços verdes abertos pode ajudar as crianças a desenvolver a criatividade.

DENDO

Jovens aprendizes

As teorias de Piaget eram bastante revolucionárias, e nem todos os psicólogos concordavam com elas. Lev Vygotsky, por exemplo, enfatizou a importância da presença de outras pessoas na educação infantil. Vygotsky acreditava que os professores devem, sim, assumir o papel de instrutores, guiando seus pupilos em relação ao que aprender e como, em vez de deixá-los soltos para descobrir as coisas. O psicólogo bielorrusso rejeitava a imagem das crianças como cientistas fazendo descobertas por conta própria, e apresentou a ideia alternativa das crianças como jovens aprendizes, que adquirem conhecimento e habilidades aprendendo com outras pessoas. Embora façamos algumas descobertas sozinhos, dizia Vygotsky, o aprendizado é um processo interativo. Absorvemos valores e conhecimento de nossos pais e professores e, também, de nossa cultura. A partir daí, aprendemos a usar esse conhecimento e o que descobrimos sozinhos em experiências com nossos semelhantes. No final do século XX, a retomada das ideias de Vygotsky produziu uma mudança no aprendizado, que deixou de ser centrado na criança e passou a ser centrado no currículo, com as lições seguindo diretrizes estabelecidas.

Depois do exercício, o corpo produz uma substância química que ajuda o cérebro a absorver informações.

Um pouco de cada

Piaget e Vygotsky apresentaram duas teorias aparentemente opostas, mas ambas descrevem o aprendizado como um processo em que as crianças estão ativamente envolvidas. A ideia interessou o psicólogo cognitivo Jerome Bruner, que concordava com Piaget no sentido de que não aprendemos da maneira tradicional, e sim por meio da exploração e da descoberta, afirmando que o aprendizado é um processo que cada criança precisa vivenciar por conta própria. Mas Bruner também acreditava, como Vygotsky, que esse aprendizado é um processo social, não uma ocupação solitária. Para aprender, precisamos "colocar a mão na massa", e fazer isso com outras pessoas contribui para o processo. De acordo com Bruner, o papel do instrutor (pais ou professores) é fundamental – não para dizer ou mostrar às crianças o que precisam saber, mas para orientá-las ao longo da experiência de aprendizado. Hoje em dia, a maioria dos educadores utiliza uma abordagem similar, equilibrando o ensino formal e o ensino interativo.

ORIENTAR ALGUÉM É ENSINÁ-LO A PARTICIPAR DO PROCESSO.

JEROME BRUNER

PASSAMOS A SER NÓS MESMOS GRAÇAS AOS OUTROS.

LEV VYGOTSKY

ARRUMANDO A CASA

Dois grupos de crianças receberam a missão de arrumar uma casa de boneca com diferentes itens de mobiliário. Num dos grupos as crianças fizeram tudo sozinhas, e no outro tiveram a ajuda das mães. No momento de repetir a tarefa por conta própria, as crianças do segundo grupo demonstraram maior desenvolvimento do que as "solitárias". Isso indica que as crianças aprendem melhor quando são incentivadas por um adulto.

Veja também: 16–17, 20–21

Por que você

QUANDO CRESCEMOS, ADQUIRIMOS NÃO SÓ CONHECIMENTO E HABILIDADES, MAS UMA FORMA DE SE COMPORTAR NO DIA A DIA. ALGUNS PSICÓLOGOS ACREDITAM QUE NOSSO COMPORTAMENTO É MOLDADO PELA APROVAÇÃO OU DESAPROVAÇÃO DE OUTRAS PESSOAS, COMO PAIS E PROFESSORES, MAS OUTROS AFIRMAM QUE SIMPLESMENTE IMITAMOS O QUE VEMOS AS PESSOAS FAZER.

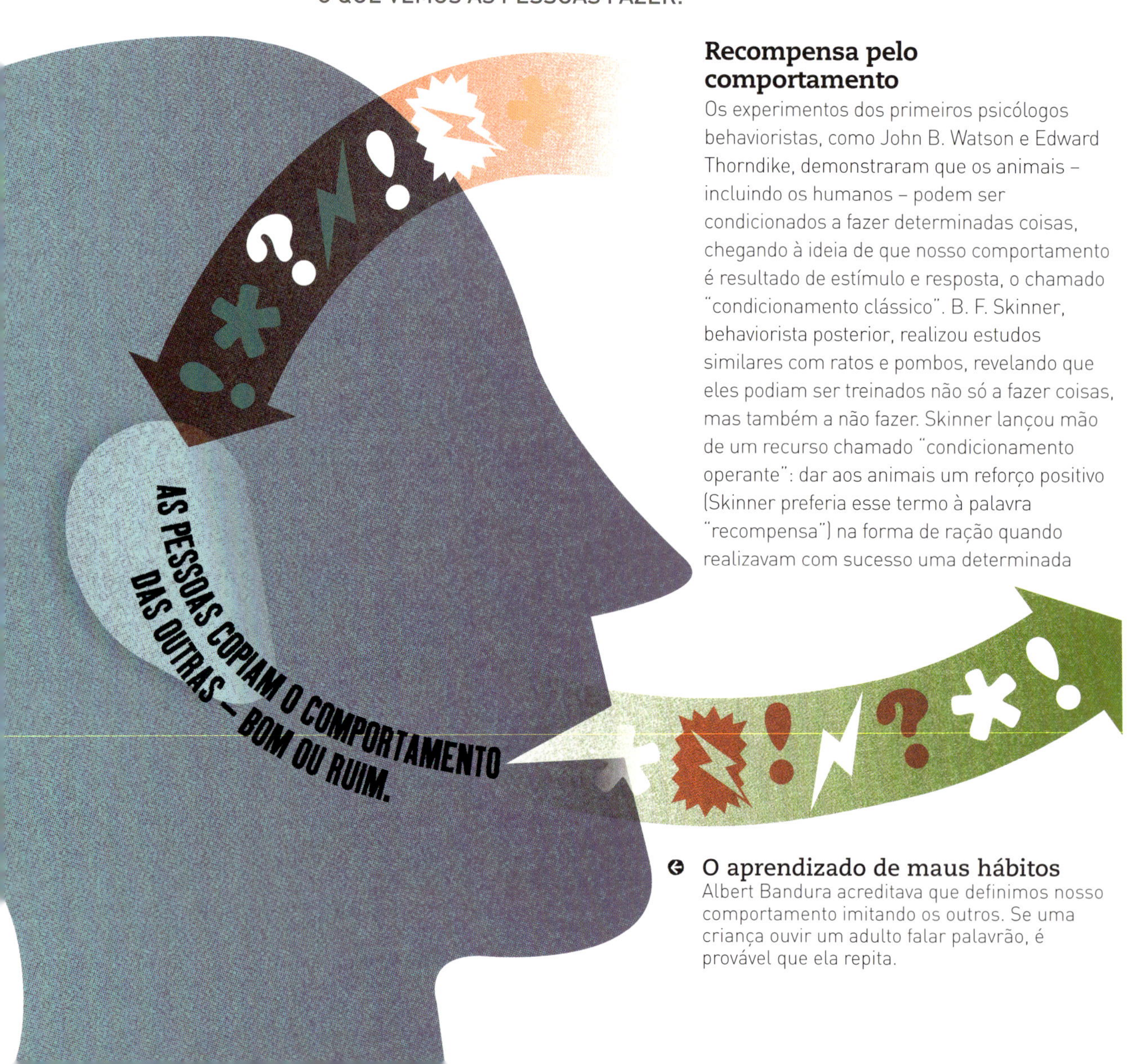

Recompensa pelo comportamento

Os experimentos dos primeiros psicólogos behavioristas, como John B. Watson e Edward Thorndike, demonstraram que os animais – incluindo os humanos – podem ser condicionados a fazer determinadas coisas, chegando à ideia de que nosso comportamento é resultado de estímulo e resposta, o chamado "condicionamento clássico". B. F. Skinner, behaviorista posterior, realizou estudos similares com ratos e pombos, revelando que eles podiam ser treinados não só a fazer coisas, mas também a não fazer. Skinner lançou mão de um recurso chamado "condicionamento operante": dar aos animais um reforço positivo (Skinner preferia esse termo à palavra "recompensa") na forma de ração quando realizavam com sucesso uma determinada

O aprendizado de maus hábitos
Albert Bandura acreditava que definimos nosso comportamento imitando os outros. Se uma criança ouvir um adulto falar palavrão, é provável que ela repita.

AGIU assim?

Adquirimos nossos hábitos em casa: a maioria das crianças passa o mesmo tempo que seu pais em frente à TV.

tarefa e um reforço negativo ("punição") na forma de choque elétrico quando faziam algo que não deviam. Segundo Skinner, o condicionamento operante podia ser usado para moldar o comportamento das crianças – por exemplo, elogiando suas realizações –, mas o psicólogo não se sentia à vontade para punir os comportamentos não desejáveis, dando prioridade ao reforço positivo. Embora a ideia de condicionamento operante explique como podemos ser condicionados a nos comportar de determinada maneira, ela não esclarece por que um comportamento específico é considerado desejável ou não.

A definição de um exemplo

Outros psicólogos afirmaram que não é somente a relação de recompensa e punição de pais, professores e outros educadores que define nosso comportamento. Albert Bandura acreditava que nosso comportamento é determinado pelo exemplo. Vendo como outras pessoas se comportam, percebemos que existe um padrão de comportamento em diferentes situações. Presumimos que esse comportamento é o normal em cada situação – o que ficou conhecido como "normas" sociais e culturais. Lembramo-nos do comportamento dos outros e ensaiamos esse comportamento na cabeça, de modo que saibamos como agir quando nos encontrarmos na mesma situação. Essa maneira de "modelar" o comportamento, por meio da observação e da imitação do comportamento dos outros, foi a ideia central da "teoria de aprendizagem social" de Bandura.

O COMPORTAMENTO É MOLDADO PELO REFORÇO POSITIVO E PELO REFORÇO NEGATIVO.

B. F. SKINNER

A assimilação do preconceito

Outro aspecto de aprendizagem social é a assimilação das atitudes de outras pessoas. Embora isso possa ser uma coisa boa – ensinando-nos sobre as crenças que definem nossa cultura, por exemplo –, também pode haver um lado negativo. As atitudes sociais em muitas sociedades incluem preconceitos como racismo. Em 1940, o casal de psicólogos Kenneth e Mamie Clark estudou como as crianças afro-americanas segregadas e as crianças brancas adquiriam suas atitudes. Os dois grupos de crianças foram colocados diante de duas bonecas, uma branca e uma negra, e deviam responder qual preferiam. A maioria das crianças, tanto as negras quanto as brancas, escolheu a boneca branca, sugerindo que tinham absorvido da sociedade a ideia de que os negros são inferiores aos brancos – mesmo sendo, no caso das crianças negras, um preconceito contra si mesmas.

Veja também: 18–19, 28–29

SURRA NO JOÃO-BOBO

Em um dos experimentos de Albert Bandura, algumas crianças testemunhavam adultos comportando-se agressivamente com um "joão-bobo". Outro grupo via adultos agindo passivamente, e um grupo de controle não presenciava nenhuma interação dos adultos com o brinquedo. Quando ficaram sozinhas, as crianças que haviam testemunhado agressões também agiram violentamente com o boneco, enquanto as outras, não, confirmando a ideia de Bandura de que definimos nosso comportamento imitando os outros.

Você sabe o que é CERT

APRENDER A DIFERENÇA ENTRE O BOM E O MAU COMPORTAMENTO É UMA PARTE IMPORTANTE DO CRESCIMENTO. SEGUNDO OS BEHAVIORISTAS, O BOM E O MAU COMPORTAMENTO SÃO CONDICIONADOS POR RECOMPENSAS E PUNIÇÕES, MAS PSICÓLOGOS POSTERIORES AFIRMARAM QUE ADQUIRIMOS O SENTIDO DE CERTO E ERRADO EM DIFERENTES ESTÁGIOS AO LONGO DA VIDA.

Um dado alarmante: estudos revelam que 60% das pessoas mentem pelo menos uma vez durante uma conversa de dez minutos.

Ensino moral

Por muito tempo, os psicólogos acreditaram que o desenvolvimento moral das crianças – o aprendizado do que é certo e o que é errado – era determinado pelo ensino. De acordo com os behavioristas, o comportamento moral pode ser moldado pelo condicionamento. Baseando-se na ideia de estímulo e resposta, eles diziam que o bom comportamento podia ser condicionado por recompensas, e o mau comportamento, desencorajado por punições. Outros psicólogos, porém, lembraram que a maioria das pessoas, mesmo sem ter cometido um crime grave e recebido uma punição por isso, sabe que matar é errado. E embora psicólogos como Albert Bandura tenham afirmado que aprendemos por meio da imitação dos outros, crianças que gostam de jogos de computador violentos não saem por aí cometendo crimes, pois sabem que é errado.

NOS JOGOS SOCIAIS MAIS SIMPLES, ENCONTRAMOS REGRAS CRIADAS PELAS CRIANÇAS SOZINHAS.
JEAN PIAGET

As regras do jogo

Grande parte do estudo de Piaget sobre o desenvolvimento infantil baseava-se no desenvolvimento moral. Piaget entrevistou crianças de diferentes idades, perguntando-lhes o que elas achavam de ações moralmente erradas, como roubar e mentir, e observando suas brincadeiras. Com o desenvolvimento psicológico em geral, as crianças, segundo Piaget, adquirem seu senso de moralidade em estágios. Assim como aprendem explorando o mundo sozinhas, carecendo da orientação de um professor, as crianças desenvolvem suas ideias de certo e errado por conta própria, nos relacionamentos com outras da mesma idade. Nas brincadeiras, elas criam regras que refletem suas descobertas sobre os conceitos de justiça, igualdade e reciprocidade – independentemente de professores, pais e outras figuras de autoridade.

O DESENVOLVIMENTO DA MORALIDADE SE DÁ EM SEIS ESTÁGIOS.
LAWRENCE KOHLBERG

Passos na direção correta

Cerca de 25 anos após a teoria de desenvolvimento moral de Piaget, Lawrence Kohlberg foi ainda mais longe. Ele concordava que desenvolvemos um senso de moralidade em etapas, mas acreditava que as figuras de autoridade e a sociedade em geral exerciam, sim, uma influência – o senso de moralidade não vem somente da criança.

TO e o que é ERRADO?

Bom ou mau?
Os psicólogos acreditam que não nascemos sabendo o que é certo e o que é errado, mas adquirimos esse conhecimento ao longo da vida. Mesmo assim, a linha divisória entre bom e mau é bastante tênue.

Além disso, segundo o psicólogo americano, o desenvolvimento moral continua na adolescência, seguindo uma série de seis estágios diferentes. No primeiro, a criança está preocupada em evitar a punição e, no estágio seguinte, ela se dá conta de que determinados comportamentos podem render-lhe recompensas. No terceiro estágio, a criança procura adaptar-se ao que acha que esperam dela (normas sociais) para que a considerem um "bom menino" ou uma "boa menina". No quarto estágio, a criança percebe que existem regras de comportamento estabelecidas por figuras de autoridade, como os pais. Ao entrar na adolescência, começa a entender os motivos das regras e normas sociais e como seu comportamento influencia outras pessoas. No estágio final, o jovem adolescente forma um senso moral com base nos princípios de justiça, igualdade e reciprocidade.

Veja também: 16–17, 18–19, 26–27

JULGANDO

Num estudo sobre desenvolvimento moral, crianças assistiram a um show de marionetes. Nele, jogaram uma bola para uma das marionetes, que a devolveu. Depois, jogaram para outra, que fugiu com a bola. No final, cada uma das marionetes foi colocada sobre uma pilha de brindes, e as crianças deveriam escolher um brinde de uma das pilhas. A maioria escolheu a pilha da marionete "desobediente" – e uma delas, uma criança sensata de um ano de idade, decidiu dar também um tapa na marionete.

MARY AINSWORTH

1913–1999

Mary Ainsworth é conhecida por seu trabalho na área de desenvolvimento infantil, sobretudo o relacionamento entre mãe e filho. Nascida em Ohio, EUA, e criada no Canadá, Ainsworth estudou psicologia na Universidade de Toronto. Em 1950, mudou-se para Londres com o marido, o psicólogo britânico Leonard Ainsworth, e trabalhou com John Bowlby na Clínica Tavistock. Em 1956, voltou para os EUA para dar aulas na Universidade Johns Hopkins e na Universidade de Virgínia.

RECRUTANDO TALENTOS

Durante a Segunda Guerra Mundial, Ainsworth serviu à tropa feminina do Exército canadense, ocupando o posto de major. Seu trabalho era selecionar soldados para a vaga de oficial, o que lhe deu grande experiência em técnicas de entrevista, registro de informações e interpretação de resultados, mas também despertou seu interesse pela psicologia de desenvolvimento da personalidade.

UM TEMPO NA ÁFRICA

Na década de 1950, Ainsworth passou alguns anos em Uganda, África, estudando o relacionamento entre mães e filhos pequenos em sociedades tribais. Ao longo de um período de mais de nove meses, entrevistou mães com filhos de um mês a dois anos. Foi nessa época que Ainsworth desenvolveu suas ideias sobre vínculo e apego, sobretudo a importância da sensibilidade materna às necessidades do filho.

Ainsworth era especialista em testes de Rorschach, um método de avaliação de personalidade com base na interpretação pessoal de manchas de tinta.

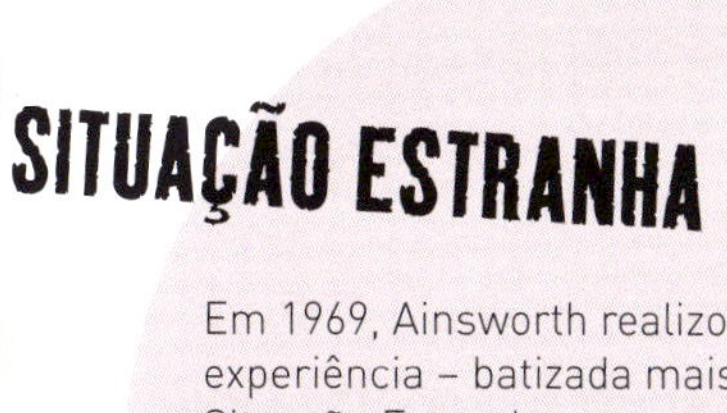

SITUAÇÃO ESTRANHA

Em 1969, Ainsworth realizou uma experiência – batizada mais tarde de Situação Estranha – para estudar os diferentes tipos de apego entre a criança e a mãe. Ela observou as reações de uma criança de um ano dentro de um quarto cheio de brinquedos, primeiro com a mãe presente, depois na presença da mãe e de um desconhecido, em seguida sozinha com o desconhecido e finalmente com a mãe de volta. Diferentes crianças reagiram de diferentes formas, dependendo da força do relacionamento mãe-filho.

"**Apego** é um vínculo afetivo que **interliga** as pessoas no espaço e **perdura** no tempo."

MÃES QUE FICAM EM CASA

Ainsworth dizia que é muito importante para a criança desenvolver um apego seguro a uma figura de proteção, mas as mães não devem necessariamente sacrificar sua vida profissional por isso. De acordo com Ainsworth, é possível conciliar trabalho e criação dos filhos, sem ter que ficar o dia inteiro em casa. Ela chamou a atenção também para a necessidade de mais pesquisas sobre o papel do pai na educação infantil e a importância do relacionamento pai-filho.

Nunca é **TARDE**

À MEDIDA QUE CRESCEMOS, PASSAMOS POR DIVERSOS ESTÁGIOS DE DESENVOLVIMENTO. NO FIM DE NOSSA VIDA PROFISSIONAL, POR VOLTA DOS 65 ANOS, ENTRAMOS NO ESTÁGIO FINAL, QUE ATUALMENTE PODE DURAR 30 ANOS OU MAIS. A "VELHICE" COSTUMA SER CONSIDERADA UM PERÍODO DE DECLÍNIO, MAS TAMBÉM PODE SER UM TEMPO DE MUDANÇAS E NOVOS INTERESSES.

HOUVE UM PASSADO, E HAVERÁ UM FUTURO; MAS AQUI ESTAMOS NÓS, NO PRESENTE.

ROBERT KASTENBAUM

O problema da velhice

Erik Erikson descreveu a velhice como o último de oito estágios de desenvolvimento – um momento para desacelerar e avaliar os estágios anteriores da vida. Mas, desde que Erikson apresentou essa ideia na década de 1950, a maneira de encarar a velhice mudou significativamente. Hoje em dia, como muitas pessoas vivem além da idade da aposentadoria, esse estágio é visto como um novo período de desenvolvimento. Infelizmente, nem todo mundo tem a chance de continuar se desenvolvendo no final da vida. A decadência de nosso corpo pode nos impedir de começar ou dar continuidade a algumas atividades, e os problemas físicos que ocorrem com maior frequência nessa idade também possuem uma influência mais direta em nossa capacidade psicológica. Um derrame, por exemplo, pode danificar o cérebro, causando transtornos físicos e mentais. Fora as doenças neurodegenerativas (que afetam o cérebro ou o sistema nervoso) associadas à velhice, como o mal de Parkinson e a doença de Alzheimer.

Quanto mais velho, mais sábio

Podemos perder a habilidade física na velhice, mas nossas habilidades mentais não necessariamente se degeneram. Segundo Edward Thorndike, a menos que haja alguma

SUA IDADE BIOLÓGICA REFLETE A IDADE QUE VOCÊ E OS OUTROS DARIAM À SUA APARÊNCIA.

A IDADE PODE SER MEDIDA DE DIFERENTES FORMAS.

Minhas idades
De acordo com o psicólogo Robert Kastenbaum, todos nós temos três idades diferentes além de nossa idade cronológica. De um modo geral, os "idosos" se julgam mais velhos na aparência e mais jovens de espírito do que são na realidade.

demais?

A população mundial está envelhecendo: a proporção de pessoas com 60 anos ou mais dobrará nos próximos 50 anos.

Veja também: 16–17, 42–43

doença neurodegenerativa, nossa memória sofre um declínio mínimo na velhice, e os idosos podem continuar aprendendo quase como os jovens – só não tão rápido. Testes recentes comprovam que a inteligência também se mantém relativamente inalterada. Embora nossa capacidade de resolver problemas fique debilitada, nossos anos de aposentadoria podem representar o momento ideal para a dedicação a novas ocupações, sobretudo aquelas que envolvam atividade mental. Isso não previne o declínio da mente, mas melhora a qualidade de vida como um todo, segundo atestam as pesquisas.

Jovem de espírito

De um modo geral, chamamos todas as pessoas acima de uma certa idade de "idosos", mas existem diferentes estágios na velhice, e a atitude que cada "idoso" assume em relação à própria idade influencia diretamente em seu estilo de vida. O psicólogo Robert Kastenbaum usou um questionário chamado "Minhas idades" para mostrar que a idade pode ser medida de diversas formas. Além de sua idade real, cronológica, os participantes deveriam responder quantos anos eles próprios e os outros dariam a seu corpo (idade biológica). Kastenbaum também pedia que avaliassem, em termos de idade, seus pensamentos, atividades, opiniões e atitudes (idade social) e revelassem quantos anos sentiam que tinham por dentro (idade subjetiva). Como era de esperar, a maioria se sentia mais jovem do que realmente era.

KARATE KIDS

Num estudo realizado na Alemanha, um grupo de pessoas com idade variando entre 67 e 93 anos foi exposto a diversas formas de treinamento. Alguns participantes realizaram exercícios puramente mentais, outros, puramente físicos, e um terceiro grupo aprendeu caratê. Depois de alguns meses, constatou-se que a combinação de treinamento mental e físico do caratê melhorou consideravelmente o bem-estar emocional e a qualidade de vida dos participantes do terceiro grupo.

A psicologia do desenvolvimento NA PRÁTICA

OLHA QUEM ESTÁ FALANDO

Os bebês imitam a fala dos pais poucas semanas após o nascimento. Também começam a reconhecer a linguagem bem cedo, dando preferência à voz dos pais. Isso explica por que é tão importante os pais falarem com seus bebês.

APRENDIZADO INTERATIVO

De acordo com os psicólogos do desenvolvimento, as crianças aprendem melhor se tiverem liberdade para usar a imaginação. As escolas Montessori trabalham com base nesse ideal, incentivando os alunos a aprender sozinhos por meio de atividades práticas e discussões com seus colegas, em vez de instrução dos professores.

COMPORTAMENTO SUPERSTICIOSO

Alguns psicólogos behavioristas afirmaram que o reforço acidental de uma resposta pode conduzir à superstição. Por exemplo, se o sujeito marcar muitos gols toda vez que estiver usando um par de meias específico, ele pode associar as meias com o fato de jogar bem e as usará em todos os jogos.

QUANTO MAIS VELHO, MAIS SÁBIO

Nós realmente ficamos mais sábios quando envelhecemos. A capacidade de tomar boas decisões leva tempo para se desenvolver. O lobo frontal de nosso cérebro, a parte responsável pela tomada de decisões, continua se desenvolvendo até chegarmos à faixa dos vinte anos. Portanto, peça o conselho de seus pais ou de um professor se não tiver certeza do que fazer.

À medida que crescemos, mudamos em termos de comportamento e habilidades. Os psicólogos do desenvolvimento estudam os estágios pelos quais passamos e o que influencia nosso desenvolvimento. As pesquisas nessa área têm um profundo impacto sobre a educação infantil e ajudam a explicar certos comportamentos, associando-os com problemas específicos nos primeiros estágios da vida.

SENSAÇÃO DE SEGURANÇA

Muitos fabricantes de carrinhos de bebê estão vendendo agora carrinhos em que o bebê fica virado para os pais, seguindo as pesquisas psicológicas que mostram a importância da comunicação entre pais e filhos na diminuição da tensão infantil. Os bebês se sentem mais seguros e têm menos chance de ficar agoniados se os pais estiverem em seu campo de visão.

INFELICIDADE NO LAR

Os psicólogos descobriram que um ambiente familiar negativo pode prejudicar o desenvolvimento emocional das crianças, afetando o desempenho escolar e o comportamento social até a idade adulta. Programas de reabilitação para jovens infratores geralmente estão voltados para a vida familiar, com o objetivo de prevenir novas infrações.

MÁ INFLUÊNCIA

Alguns psicólogos afirmaram que a violência em filmes e videogames faz com que as crianças se tornem violentas também. Não há provas que confirmem essa teoria, mas, mesmo assim, foi instituída uma classificação etária para filmes e jogos como forma de precaução.

LEMBRANÇAS REMOTAS

A maioria das pessoas não consegue se lembrar de nada que aconteceu antes dos três anos, talvez porque a forma de registrar e armazenar memórias mude nessa idade. Mesmo assim, esses primeiros anos – de vínculo com a pessoa que cuida de nós – são cruciais para nosso desenvolvimento, e nossas experiências desse período podem ter impacto duradouro em nossa vida.

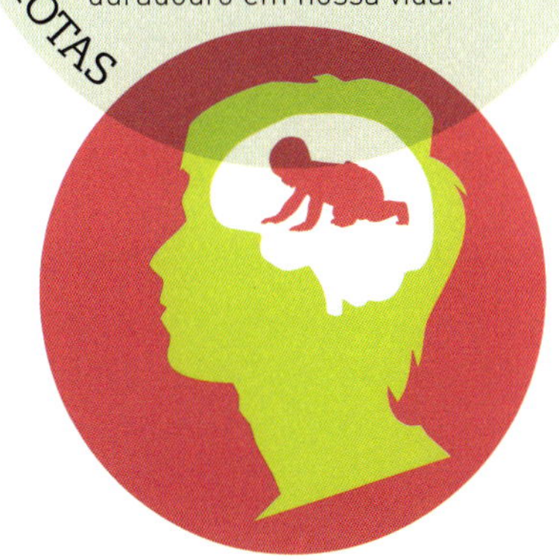

Como nosso **CÉREBRO** funciona?

A psicologia biológica, ou biopsicologia, combina o estudo físico do cérebro e do sistema nervoso – a neurociência – com a psicologia. Os psicólogos biológicos utilizam modernas técnicas de imagem para ver o que acontece em nosso cérebro, e estudam como o funcionamento do cérebro e do sistema nervoso influencia nossos pensamentos, sentimentos e comportamento.

MENTE é diferente de CÉREBRO?

O que acontece dentro do nosso CÉREBRO?

O que podemos aprender com as LESÕES CEREBRAIS?

O que é CONSCIÊNCIA?

O poder dos SONHOS...

MENTE é diferente

GRANDE PARTE DA PSICOLOGIA ESTÁ VOLTADA PARA NOSSA FORMA DE PENSAR E DE NOS COMPORTAR – O FUNCIONAMENTO DA MENTE. MAS A ATIVIDADE DA MENTE ACONTECE FISICAMENTE NO CÉREBRO. NO SÉCULO XX, SURGIU UMA RAMIFICAÇÃO DA PSICOLOGIA QUE ESTUDA A CONEXÃO ENTRE OS ASPECTOS BIOLÓGICOS DE NOSSO CÉREBRO E NOSSO COMPORTAMENTO.

Mentes filosóficas

Até o desenvolvimento da neurociência, a maioria das pessoas pensava na mente como algo separado do corpo. Essa ideia surgiu originalmente entre os antigos filósofos gregos e, mesmo com o advento da ciência e da medicina, continuou presente nos escritos do filósofo do século XVII René Descartes. Os filósofos da Grécia antiga acreditavam que a mente era uma espécie de "alma", capaz de pensar, enquanto o cérebro era algo puramente físico, servindo apenas para receber informações por meio dos sentidos. Pouco se sabia a respeito do funcionamento do cérebro quando a psicologia despontou como ciência, e muitos dos primeiros psicólogos tinham formação filosófica. Consequentemente a psicologia, por muito tempo, foi a ciência da mente e do comportamento, bastante separada da neurociência – o estudo biológico do cérebro.

A mente sobre a matéria

Até hoje alguns psicólogos acreditam que a constituição física de nosso cérebro é praticamente irrelevante para compreender nossa forma de pensar e de nos comportar, explicando tudo em termos da mente. Um defensor dessa visão é o cientista cognitivo americano Jerry Fodor. Na década de 1980, Fodor afirmou que a mente é feita de diferentes partes, ou "módulos", cada uma com uma função própria – como acessar memórias ou articular a fala. Essa ideia não era totalmente nova: um século antes, uma pseudociência chamada frenologia dividia a mente em 27 módulos especializados, cada um associado a uma área do cérebro. Na teoria modular de Fodor, contudo, as faculdades mentais não estão associadas com partes específicas do cérebro, e os módulos existem independentemente da estrutura biológica cerebral.

EXISTE UMA GRANDE DIFERENÇA ENTRE MENTE E CORPO.

RENÉ DESCARTES

Os frenólogos afirmam que são capazes de medir a inteligência e a personalidade de uma pessoa pela conformação de seu crânio.

de CÉREBRO?

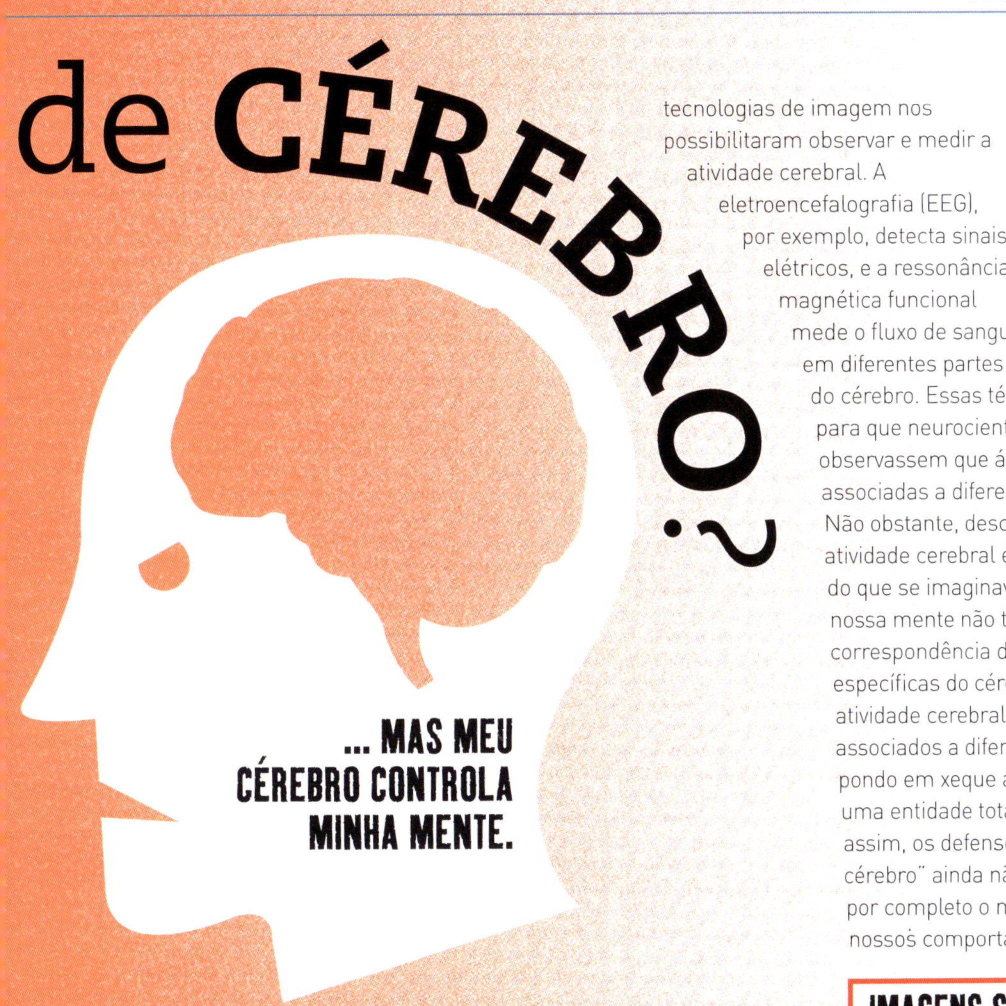

tecnologias de imagem nos possibilitaram observar e medir a atividade cerebral. A eletroencefalografia (EEG), por exemplo, detecta sinais elétricos, e a ressonância magnética funcional mede o fluxo de sangue em diferentes partes do cérebro. Essas técnicas abriram caminho para que neurocientistas e psicólogos observassem que áreas do cérebro estão associadas a diferentes comportamentos. Não obstante, descobriram que nossa atividade cerebral é muito mais complexa do que se imaginava e que as funções de nossa mente não têm uma correspondência direta com áreas específicas do cérebro. Certos padrões de atividade cerebral podem estar associados a diferentes estados mentais, pondo em xeque a ideia de que a mente é uma entidade totalmente isolada. Mesmo assim, os defensores da "abordagem do cérebro" ainda não conseguiram explicar por completo o motivo de todos os nossos comportamentos.

Enquanto estamos acordados, nosso cérebro gera energia suficiente para acender uma lâmpada elétrica.

O poder do cérebro

Avanços na neurociência permitiram que os cientistas estudassem a estrutura do sistema nervoso e observassem o que acontece quando diferentes partes do cérebro são danificadas. Como resultado, certas áreas tornaram-se associadas com faculdades mentais específicas. A psicologia biológica – a "abordagem do cérebro", ao contrário da "abordagem da mente" – surgiu para examinar a relação entre o funcionamento físico de nosso cérebro e nosso comportamento. Além disso, sofisticadas

NÓS SOMOS NOSSO CÉREBRO.

SUSAN GREENFIELD

IMAGENS SEDUTORAS

Um estudo realizado em 2008 por Deena Weisberg revelou que não cientistas são mais propensos a acreditar em explicações de fenômenos psicológicos, mesmo que ruins, se elas vierem acompanhadas de informações neurocientíficas e ressonância magnética. Essa descoberta aumentou a preocupação quanto ao uso de provas neurocientíficas em julgamentos criminais.

O que acontece dentro do nosso CÉREBRO?

NOSSO SISTEMA NERVOSO É COMPOSTO POR CÉLULAS NERVOSAS CHAMADAS NEURÔNIOS. ESSAS CÉLULAS SE COMUNICAM ENTRE SI, TRANSMITINDO SINAIS QUÍMICOS E ELÉTRICOS PELO CÉREBRO. MODERNAS TÉCNICAS DE MAPEAMENTO CEREBRAL NOS PERMITEM MEDIR E OBSERVAR INDIRETAMENTE ESSES SINAIS, REVELANDO SUA RELAÇÃO COM NOSSOS PROCESSOS E FUNÇÕES MENTAIS.

Envio de sinais

Uma das primeiras pessoas a estudar os neurônios foi o cientista italiano do século XIX Camillo Golgi. Ele inventou um método de coloração das células que lhe permitiu ver o percurso dos sinais por elas. Santiago Ramón y Cajal, com base no trabalho de Golgi, demonstrou que as células nervosas, na verdade, não estão conectadas, mas se comunicam entre si por uma estrutura conhecida como sinapse: cada neurônio "dispara" um sinal elétrico ou químico que ativa um neurônio vizinho. Desse modo, a informação pode percorrer uma rede de neurônios, ligando o cérebro a outras partes do corpo. Os neurônios sensoriais (receptores) carregam informações do que sentimos, vemos, ouvimos, experimentamos e cheiramos do sistema nervoso ao cérebro, e os neurônios motores (efetores) carregam informações do cérebro a outras partes do corpo, como nossos músculos.

NEURÔNIOS QUE DISPARAM JUNTOS PERMANECEM JUNTOS, INTERLIGADOS.
DONALD HEBB

Drogas como álcool produzem seu efeito alterando a natureza desse processo de comunicação, conhecido como transmissão sináptica.

Rotas conhecidas

Além de enviarem sinais do corpo para o cérebro e do cérebro para o corpo, os neurônios também se comunicam formando redes dentro de nosso cérebro. Os padrões dessas conexões estão associados a diferentes funções do cérebro, como pensamento, movimento e fala. O neuropsicólogo canadense Donald Hebb descobriu que, quando fazemos alguma coisa várias vezes, a comunicação entre as células do cérebro é repetida, de modo que a ligação entre elas se fortalece. Assim, é provável que essas células se comuniquem entre si utilizando esse caminho no futuro. Ou seja, o cérebro "aprendeu" as conexões neurais associadas a essa atividade ou função mental específica. Hebb batizou esses padrões de atividade cerebral de "agrupamentos". Esses agrupamentos são responsáveis por armazenar as informações necessárias para o cérebro desempenhar diversas funções. Os agrupamentos não são linhas de comunicação simples numa única linha de neurônios, mas complexos padrões de vias neurais interconectadas. Quanto maior a frequência com que realizamos diferentes coisas ao mesmo tempo, como assistir a um filme específico com um amigo, mais forte se torna a ligação entre duas vias neurais do agrupamento, e as duas ideias ficam associadas em nossa mente. Segundo Hebb, é assim que as informações são armazenadas em nossa memória de longo prazo.

AS VIAS NEURAIS DO CÉREBRO SÃO CONSTANTEMENTE REASSINALADAS.

O EMARANHADO DENTRO DE NOSSA CABEÇA É O QUE NOS TORNA HUMANOS.

COLIN BLAKEMORE

EXERCÍCIO DE PIANO

Num estudo sobre atividade cerebral, voluntários receberam a incumbência de praticar um exercício de piano por duas horas, todos os dias, por cinco dias. Os resultados revelaram que as vias neurais do cérebro dos participantes haviam se "reorganizado" para dar mais espaço às conexões utilizadas durante o exercício. Os pesquisadores pediram a outro grupo que não praticasse, mas repassasse o exercício na cabeça, e verificaram que o cérebro deles passou pelo mesmo tipo de reorganização.

Mudança de rota

A tecnologia de mapeamento do cérebro permitiu que os neurocientistas examinassem a transmissão sináptica de maneira mais precisa. De acordo com o neurocientista Colin Blakemore, embora certos padrões de atividade correspondam a diferentes funções do cérebro, eles não são permanentes, mudando no decorrer da vida. Quando fazemos coisas diferentes e passamos a viver em circunstâncias novas, as vias neurais adaptam-se, num processo conhecido como neuroplasticidade ou plasticidade cerebral. Os neurônios se comunicam com diferentes células vizinhas, formando novas conexões em resposta a mudanças de comportamento ou de ambiente. Eles podem até chegar a formar padrões completamente novos, em substituição aos existentes, se o cérebro sofrer algum tipo de lesão, por exemplo.

Se as células e fibras do cérebro humano fossem esticadas formando um único fio, seu comprimento teria duas vezes a distância daqui para a Lua.

Veja também: 46–47, 64–65

O que podemos aprender com as

A CADA SEGUNDO, MILHARES DE SINAIS ESTÃO SENDO PASSADOS DE NEURÔNIO PARA NEURÔNIO EM NOSSO CÉREBRO. ESSA ATIVIDADE ELETROQUÍMICA ACELERA-SE EM DIFERENTES ÁREAS DO CÉREBRO, DEPENDENDO DO QUE ESTAMOS FAZENDO OU PENSANDO. QUANDO PARTE DO CÉREBRO É DANIFICADA, ALGUMAS FUNÇÕES MENTAIS ESPECÍFICAS SÃO PREJUDICADAS DE FORMA REVELADORA.

SE DETERMINADAS PARTES DO CÉREBRO FOREM LESIONADAS, OUTRAS PARTES PODERÃO ASSUMIR SUA FUNÇÃO.
KARL LASHLEY

Impedimento da fala

Em meados do século XIX, o médico francês Paul Broca tinha um paciente cujo apelido era "Tan", devido à sua incapacidade de falar qualquer outra palavra além de "tan". Quando Tan morreu, Broca dissecou seu cérebro e descobriu que parte do lobo frontal era deformada, concluindo que essa área devia estar associada à fala. Alguns anos mais tarde, Carl Wernicke verificou que uma lesão em outra região do cérebro prejudicava a capacidade de compreensão da linguagem. Essas descobertas representaram um ponto de virada no estudo do cérebro, mostrando que o exame de cérebros lesionados pode revelar muitas coisas sobre sua estrutura, e como ele se relaciona com nosso comportamento.

Se alguém nos espetasse no cérebro, não sentiríamos nada – o cérebro não sente dor.

Onde acontece o quê?

Modernas técnicas de mapeamento cerebral, como ressonância magnética e tomografia computadorizada, permitiram que os cientistas observassem que partes do cérebro estão ativas quando fazemos diferentes coisas. Assim como Broca e Wernicke, que descobriram áreas associadas com a linguagem, os neurocientistas mapearam outras áreas do cérebro, revelando suas funções associadas. Mas nem toda função mental é localizada dessa maneira. A memória de longo prazo, por exemplo, envolve atividades em áreas de todo o cérebro. Um caso famoso é o de "HM", um paciente epiléptico que em 1953 submeteu-se a uma cirurgia na qual foram retiradas partes de seu cérebro. A operação melhorou o quadro de epilepsia, mas afetou severamente sua memória – HM não desaprendeu a fazer as coisas, porém não conseguia se lembrar de acontecimentos. Apesar de HM ter sido objeto de muitos estudos até sua morte em 2008, os cientistas descobriram que seu cérebro havia sido mais danificado do que se pensava durante a operação, dificultando a identificação de qual parte do cérebro era a responsável pelos problemas de memória. Mas a lesão cerebral nem sempre tem consequências permanentes. Segundo o psicólogo americano Karl Lashley, além de certas funções envolverem diversas áreas do cérebro, quando algumas delas são

PHINEAS GAGE

Em 1948, o operário americano Phineas Gage, num acidente com explosivos, teve o cérebro perfurado por uma barra de metal, danificando grande parte do lobo frontal. Gage sobreviveu, mas demonstrou sinais de mudança de personalidade e comportamento atípico. Esse foi um dos primeiros casos a sugerir que certas funções, como personalidade, estão localizadas em regiões específicas do cérebro.

LESÕES CEREBRAIS?

lesionadas, outras partes do cérebro podem assumir suas funções. Isso explica por que algumas vítimas de derrame, após perderem a capacidade de falar ou de se movimentar, conseguiram recuperar essas funções por meio de treinamento.

Nosso cérebro é dividido em duas metades

O estudo do impacto de outros procedimentos cirúrgicos também foi revelador. O cérebro é formado por duas metades distintas, mas conectadas – os hemisférios esquerdo e direito. Roger Sperry descobriu que separar cirurgicamente as duas metades (outro tratamento para a epilepsia) produzia alguns efeitos colaterais interessantes. Em experiências com pacientes submetidos a essa cirurgia, Sperry verificou que aquilo que o olho esquerdo enxerga é processado pelo hemisfério direito do cérebro, e vice-versa. Muitos de seus pacientes não conseguiam dizer o nome de objetos processados pelo lado direito do cérebro, mas conseguiam nomear os objetos processados pelo lado esquerdo. Com base nesses estudos, Sperry chegou à conclusão de que a linguagem é controlada pelo lado esquerdo do cérebro, enquanto o lado direito tem outras funções.

SANTIAGO RAMÓN Y CAJAL

1852–1934

Um dos pioneiros da neurociência, Santiago Ramón y Cajal nasceu em Navarra, Espanha. Após uma infância e adolescência de rebeldia, Ramón y Cajal foi estudar medicina na Universidade de Zaragoza, onde seu pai dava aulas de anatomia. Serviu o Exército como oficial médico e dedicou-se ao estudo da estrutura do sistema nervoso. Sua obra teve grande influência no desenvolvimento da psicologia biológica.

IDENTIFICAÇÃO DOS NEURÔNIOS

Chamado frequentemente de "o pai da neurociência", Ramón y Cajal foi o primeiro a descrever as células nervosas conhecidas hoje como neurônios, demonstrando como se comunicavam entre si e transmitiam informações para diversas partes do cérebro. Em 1906, o histologista espanhol ganhou o Prêmio Nobel de Fisiologia/Medicina (junto com Camillo Golgi) por seu trabalho sobre as células do cérebro.

Ramón y Cajal foi parar na prisão quando tinha 11 anos por destruir o portão do vizinho com um canhão feito em casa.

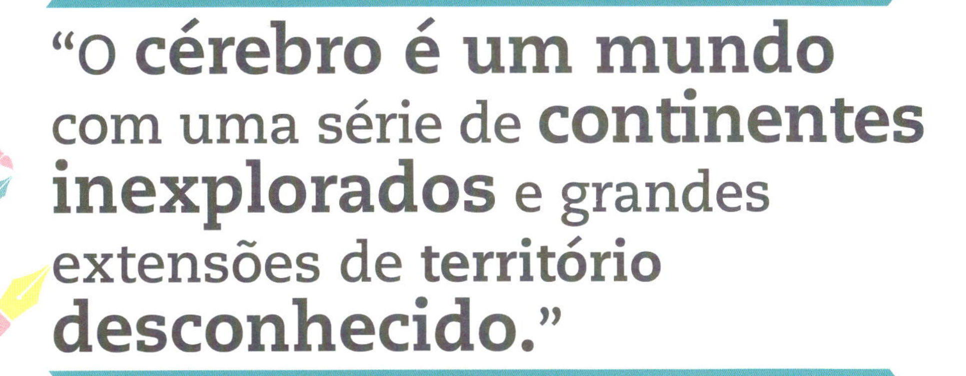

“O cérebro é um mundo com uma série de continentes inexplorados e grandes extensões de território desconhecido.”

O ARTISTA TALENTOSO

Desde pequeno, Ramón y Cajal demonstrava talento para pintura e desenho, o que acabou sendo útil em seu trabalho como neurocientista. Como seu estudo das células nervosas antecede o advento da microfotografia e da tecnologia de imagens, ele fez centenas de desenhos superdetalhados para registrar o que via no microscópio. Esses desenhos são usados até hoje nos livros acadêmicos de neurociência.

TAMBÉM CONHECIDO COMO DR. BACTÉRIA

Ramón y Cajal era um escritor prolífico. Além dos mais de cem livros e artigos sobre assuntos científicos, incluindo patologia e sistema nervoso, ele escreveu sátiras, criticando a sociedade e a política espanhola de sua época. Em 1905, publicou uma coleção de contos de ficção científica com o pseudônimo Dr. Bactéria.

INVESTIGANDO O INEXPLICÁVEL

Além de seu trabalho sobre a fisiologia do cérebro e do sistema nervoso, Ramón y Cajal interessava-se por assuntos que não podiam ser tão facilmente explicados pela ciência, como a hipnose – ele mesmo utilizou essa técnica para ajudar a esposa no trabalho de parto. Ramón y Cajal escreveu um livro sobre hipnose e paranormalidade que infelizmente se perdeu após sua morte, durante a Guerra Civil Espanhola.

O que é

TODOS SABEMOS O QUE SIGNIFICA ESTAR CONSCIENTE – TER CONSCIÊNCIA DE NÓS MESMOS E DO MUNDO À NOSSA VOLTA. TAMBÉM CONHECEMOS DIFERENTES TIPOS DE INCONSCIÊNCIA, COMO QUANDO ESTAMOS DORMINDO OU SOB O EFEITO DE UM ANESTÉSICO. AINDA ASSIM, OS PSICÓLOGOS TIVERAM DIFICULDADE PARA EXPLICAR A CONSCIÊNCIA EM TERMOS CIENTÍFICOS.

Fluxo de consciência

Os primeiros psicólogos, entre eles William Wundt e William James, acreditavam que todo o propósito da psicologia era descrever e explicar nosso comportamento consciente. Como o estado consciente é uma experiência pessoal, a única forma que eles encontraram de examinar a consciência foi por meio da introspecção – observando o que acontecia na própria mente. Durante o processo, James reparou que seus pensamentos conscientes mudavam o tempo todo. Ele poderia estar pensando ou fazendo alguma coisa, e de repente outro pensamento lhe vinha à mente. Esse pensamento era logo interrompido por outro, e assim por diante. James observou também que todos esses pensamentos pareciam vir juntos,

Associações com uma maçã
Quando vemos uma maçã, nosso cérebro, além de reconhecê-la, traz à tona todas as associações que fazemos com a palavra "maçã" – desde tortas até aparelhos eletrônicos. Isso, de acordo com Giulio Tononi, é um exemplo da consciência humana.

SABEMOS O SIGNIFICADO DE "CONSCIÊNCIA", DESDE QUE NINGUÉM PEÇA PARA DEFINI-LA.
WILLIAM JAMES

CONSCIÊNCIA?

um após o outro, formando o que ele descreveu como "fluxo de consciência".

Níveis de consciência

Mas o que significa "consciência"? Poderia significar estar consciente de nossas ações, pensamentos ou sensações. Afinal de contas, dizemos que estamos fazendo algo "conscientemente" para marcar a diferença entre as ações "conscientes" e as ações automáticas, que fazemos sem pensar. Outra definição seria simplesmente estar acordado, em vez de dormindo, anestesiado ou desacordado, como no caso de alguém que levou um golpe na cabeça. À semelhança de James, Sigmund Freud também era fascinado pelo tema "consciência", mas em vez de tentar explicar o que significa estar consciente, Freud identificou três níveis de consciência: o consciente (aquilo do qual temos consciência), o pré-consciente (aquilo do qual podemos nos tornar conscientes) e o inconsciente (aquilo que reprimimos). A definição de inconsciente de Freud não é aceita por todo mundo, porém os diferentes níveis de consciência continuam a interessar os psicólogos.

Com a quantidade de sinais que recebe e movimentos que coordena, nosso cérebro é mais poderoso do que um supercomputador.

Soluções científicas

De acordo com a neurociência moderna, a diferença entre consciência e inconsciência não é clara – mesmo quando uma pessoa está em coma, o cérebro continua ativo. Os neurocientistas observaram a atividade cerebral em diversos estados de consciência, ajudando os psicólogos biológicos a trocar as teorias introspectivas sobre consciência por explicações mais científicas. O biólogo Francis Crick comparou a atividade cerebral de indivíduos saudáveis com a de pessoas em estado vegetativo, verificando que nos cérebros conscientes havia mais atividade na área conhecida como córtex pré-frontal do que nos inconscientes. A conclusão foi que essa parte do cérebro está associada à consciência. Segundo uma teoria mais recente, apresentada pelo neurocientista Giulio Tononi, a consciência é resultado da interconexão de estruturas de diversas partes do cérebro, interligando as informações de todos os nossos sentidos, memórias e pensamentos. Tononi explicou sua ideia usando a analogia de uma câmera fotografando uma maçã. A imagem que a câmera recebe é composta de muitos pixels diferentes, mas a câmera trata cada pixel separadamente e não enxerga a maçã como um todo. Nosso cérebro, em contrapartida, consegue fazer a conexão entre os pixels. Desse modo, somos capazes de formar a imagem da maçã em nossa cabeça e, ao mesmo tempo, lembramo-nos de tudo o que associamos à ideia de maçã. Nosso nível de consciência, portanto, não é determinado somente pela intensidade da atividade no cérebro, mas por seu nível de interconexão.

> **NOSSAS ALEGRIAS E TRISTEZAS, NOSSAS MEMÓRIAS E AMBIÇÕES, NOSSO SENSO DE IDENTIDADE E NOSSO LIVRE-ARBÍTRIO, EM ÚLTIMA INSTÂNCIA, NÃO SÃO NADA MAIS DO QUE O COMPORTAMENTO DE UM IMENSO GRUPO DE CÉLULAS NERVOSAS.**
>
> FRANCIS CRICK

Veja também: 40–41, 48–49, 50–51

Vilayanur Ramachandran

1951–

O neurocientista Vilayanur Ramachandran nasceu em Tamil Nadu, Índia. Como seu pai trabalhava na ONU, a família se mudava constantemente. Ramachandran frequentou a escola em Madras e Bangcoc, Tailândia. Estudou medicina em Madras, mudando-se depois para Londres, onde obteve o diploma de doutorado pela Universidade de Cambridge. Ramachandran trabalhou como pesquisador na Universidade de Oxford antes de se estabelecer nos EUA. Atualmente é professor do departamento de psicologia da Universidade da Califórnia.

VENDO COISAS

Ramachandran assumiu uma abordagem pouco ortodoxa em relação à neurociência. Em vez de fazer uso da tecnologia de imagens para examinar o funcionamento do cérebro, ele costuma trabalhar com base em experiências e observações. Uma de suas pesquisas mais recentes foi sobre a maneira como nosso cérebro processa informações visuais. Ramachandran inventou uma série de efeitos visuais e ilusões de óptica para nos ajudar a compreender nossa percepção das coisas.

MEMBROS FANTASMAS

Ramachandran é conhecido, sobretudo, por seu trabalho sobre "membros fantasmas" – casos de amputação em que as pessoas continuam sentindo o membro amputado. Para ajudar a diminuir a sensação desagradável, o neurocientista indiano inventou a "caixa espelhada", uma caixa que reflete a imagem do membro existente, criando a ilusão de que o membro amputado foi substituído. Os pacientes podem, então, associar a imagem que estão vendo com a sensação de presença do membro.

“Qualquer **primata** consegue pegar uma **banana**, mas só os **humanos** são capazes de **alcançar as estrelas.**”

INVESTIGANDO IMPOSTORES

Uma forma de examinar o funcionamento do cérebro, segundo o método de Ramachandran, é estudar indivíduos com síndromes neurológicas raras. Pessoas que sofrem de síndrome de Capgras, por exemplo, acreditam que um parente foi substituído por um impostor. De acordo com Ramachandran, isso acontece por causa de uma desconexão entre a área do cérebro que reconhece rostos – o córtex temporal – e a área responsável pelas respostas emocionais.

Em 2011, a revista *Time* classificou-o como “uma das pessoas mais influentes do mundo”.

CONEXÃO CRUZADA

Algumas pessoas podem associar letras, números ou até dias da semana a diferentes cores ou até personalidades. Conhecida como sinestesia, essa é uma experiência automática e involuntária, que, segundo Ramachandran, acontece por causa de uma interconexão entre regiões normalmente não relacionadas do cérebro – quando uma área é estimulada por determinadas informações, ela ativa uma resposta em outra área.

3A2C1B

SONHOS REVELADORES
SEGUNDO FREUD, DURANTE O SONO VIVEMOS OS DESEJOS E OS MEDOS OCULTOS QUE REPRIMIMOS QUANDO ESTAMOS ACORDADOS.

DORMIR É PARTE ESSENCIAL DE NOSSA VIDA. SEM SONO REGULAR, NOSSO DESEMPENHO FÍSICO E MENTAL FICA COMPROMETIDO. ESTUDANDO A ATIVIDADE CEREBRAL DURANTE O SONO E OBSERVANDO O QUE ACONTECE QUANDO O SONO É INTERROMPIDO, OS PSICÓLOGOS ESTÃO COMEÇANDO A COMPREENDER POR QUE DORMIR É TÃO IMPORTANTE.

Bocejar é contagioso – até mesmo a leitura da palavra "bocejo" pode nos fazer bocejar.

Os estágios do sono

Algumas pessoas acreditam que dormir é simplesmente uma oportunidade para nosso corpo e nossa mente se recuperarem após um dia de atividades – quando estamos cansados, dormimos e acordamos renovados. Mas pode haver outros motivos para dormir. Os cientistas descobriram que, numa noite padrão, passamos por quatro ou cinco ciclos de sono, cada um com duração de aproximadamente 90 minutos. Durante três estágios de sono NREM (não REM), nossos músculos relaxam e nossa atividade cerebral, respiração e batimentos cardíacos desaceleram, mas ainda nos mexemos. No quarto estágio, o sono REM (do inglês *rapid-eye-moviment*, movimento rápido dos olhos), nossos batimentos cardíacos e respiração aceleram, mas nossos músculos ficam imobilizados. Mesmo fechados, nossos olhos se movem rapidamente, e nosso cérebro se comporta praticamente como se estivéssemos acordados. Esse é o estágio em que sonhamos.

SEM O RELÓGIO BIOLÓGICO DE NOSSO CÉREBRO, NOSSA VIDA SERIA CAÓTICA, NOSSAS AÇÕES, DESORGANIZADAS.

COLIN BLAKEMORE

FUSO HORÁRIO DE ADOLESCENTE

Estudos sugerem que os adolescentes têm um desempenho inferior na parte da manhã porque ainda lhes faltam os estágios finais do sono. O professor de neurociência Russell Foster explicou que entre as idades de 10 e 20 anos, nosso relógio biológico muda, possivelmente por razões hormonais. Isso significa que precisamos dormir cerca de duas horas a mais que todo mundo.

Qual o sentido de sonhar?

Nosso cérebro não "desliga" quando dormimos. Aliás, durante o sono REM, ele está tão ativo como quando estamos acordados. Em vez de entrar num estado de inconsciência, parece que passamos a um novo estado de consciência – o momento dos sonhos. Muitos psicólogos acreditam que esse é o principal propósito do sono. De acordo com Sigmund Freud e seus seguidores, os sonhos nos permitem fazer e dizer coisas que reprimimos quando acordados. Para Freud, a interpretação dos sonhos é uma forma de acessar nossa mente inconsciente oculta. Outros psicólogos acreditam que os sonhos são uma oportunidade de experimentarmos coisas que depois podemos colocar em prática no dia a dia. O cientista Antti

Grande parte das pessoas sonha por uma ou duas horas e tem até sete sonhos por noite.

INTERPRETE O SIGNIFICADO DE SEUS SONHOS...

SISTEMA DE ARQUIVAMENTO
PODEMOS USAR NOSSOS SONHOS PARA ORGANIZAR PENSAMENTOS E MEMÓRIAS, ABRINDO ESPAÇO PARA NOVAS INFORMAÇÕES.

LUTAR OU FUGIR
DE ACORDO COM REVONSUO, ENSAIAMOS NOS SONHOS AS COISAS QUE PRECISAMOS FAZER NA VIDA REAL – COMO FUGIR DO PERIGO.

Revonsuo demonstrou que a área "lutar ou fugir" do cérebro está mais ativa durante o sono REM. Muitas pessoas resolvem problemas no sonho, e artistas criativos muitas vezes se baseiam em sonhos como fonte de inspiração para escrever, compor ou pintar. Podemos utilizar os sonhos também para organizar nossos pensamentos e ideias, despoluindo nossa mente e abrindo espaço para novas informações.

De olho em nosso relógio biológico

Assim como seguimos um padrão durante o sono, temos um "relógio biológico" interno que nos diz quando precisamos dormir. Normalmente respeitamos o ciclo natural de noite e dia, mas a relação entre tempo de sono e tempo acordado varia. De um modo geral, ficamos acordados 16 horas e dormimos 8 horas, mas podemos viver muito bem com outros ritmos. Numa experiência, o cientista e espeleologista francês Michel Siffre passou sete meses no interior de uma caverna profunda, totalmente alheio ao ciclo de noite e dia. Seguindo somente seu relógio biológico, ele entrou num padrão de dias de 25 horas. No entanto, se formos privados de sono por longos períodos de tempo, sentimo-nos física e mentalmente debilitados, ficando mais expostos a acidentes. Aliás, a privação do sono já foi usada como técnica de tortura, e pode levar à morte. O ritmo da vida moderna também prejudica os padrões naturais do sono. Exemplos disso são o *jet lag*, trabalho em turnos ou horas extras de trabalho. Essas demandas significam que a maioria de nós não dorme a quantidade de horas de que precisa.

MOMENTO DE CRIATIVIDADE
OS ARTISTAS BUSCAM INSPIRAÇÃO EM SONHOS PARA NOVAS OBRAS, E TAMBÉM RESOLVEMOS PROBLEMAS DORMINDO.

Veja também: 46–47

A psicologia biológica NA PRÁTICA

O SHOW DE LUZES DOS NEURÔNIOS

Já aconteceu com você de fechar os olhos na hora de dormir e ver pequenos pontinhos de luz coloridos? São os neurônios disparando sinais entre os olhos e o cérebro. Mesmo de olhos fechados, esses neurônios ainda enviam mensagens uns aos outros.

CAMPOS MAGNÉTICOS

Como os neurônios funcionam transmitindo sinais elétricos, o processo pode ser interrompido por fortes campos magnéticos. Os psicólogos biológicos utilizaram essa técnica para estudar a atividade de diferentes partes do cérebro. Alguns dos efeitos são: perda temporária da fala, alucinações e até experiências religiosas de epifania.

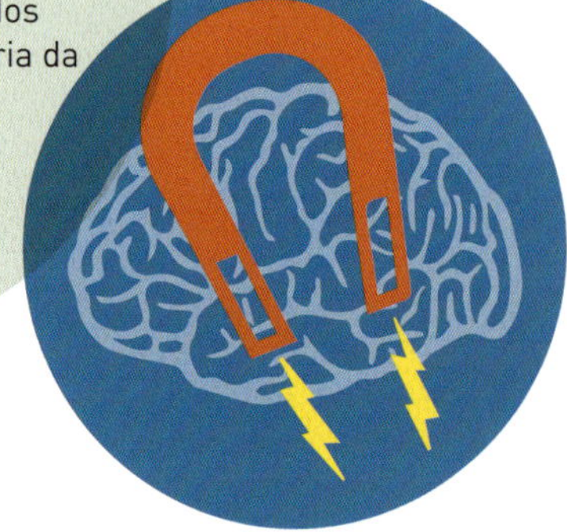

O CÉREBRO NO AUGE

Seus pais têm um cérebro mais simples do que o seu. O número de conexões novas em nosso cérebro atinge seu auge quado temos por volta de nove anos, diminuindo depois, até os vinte anos, quando se estabiliza. Nosso cérebro é mais maleável na infância – é por isso que crianças têm mais facilidade que adultos para aprender um novo idioma.

SONO PROFUNDO

Às vezes as pessoas se levantam, caminham e até limpam a casa em estado de sono profundo. Ao contrário da crença popular, os sonâmbulos não estão representando seus sonhos ou desejos inconscientes. Os psicólogos biológicos demonstraram que o sonambulismo ocorre durante o sono NREM – quando não estamos sonhando.

A psicologia biológica relaciona nossos pensamentos, sentimentos e comportamento com o funcionamento físico de nosso cérebro. Recorrendo à tecnologia de imagens para estudar a atividade cerebral, os psicólogos biológicos procuram explicar cientificamente o comportamento resultante de anormalidades e lesões do cérebro.

RELÓGIO **INTERNO**

Estudos revelaram que os adolescentes têm um relógio biológico diferente dos adultos e que precisam de duas horas a mais de sono. Com base nisso, alguns psicólogos argumentaram que as aulas não deveriam começar tão cedo de manhã.

SEGURANÇA **EM PRIMEIRO LUGAR**

Imagine pôr uma gelatina numa caixa pontiaguda por dentro e balançar a caixa. Isso é o que acontece quando uma pessoa bate forte a cabeça. Os psicólogos biológicos descobriram que golpes graves na cabeça podem causar grande impacto no comportamento e nas habilidades de um indivíduo. Essa descoberta chama a atenção para a necessidade de leis mais estritas relacionadas ao uso de capacetes em ciclistas.

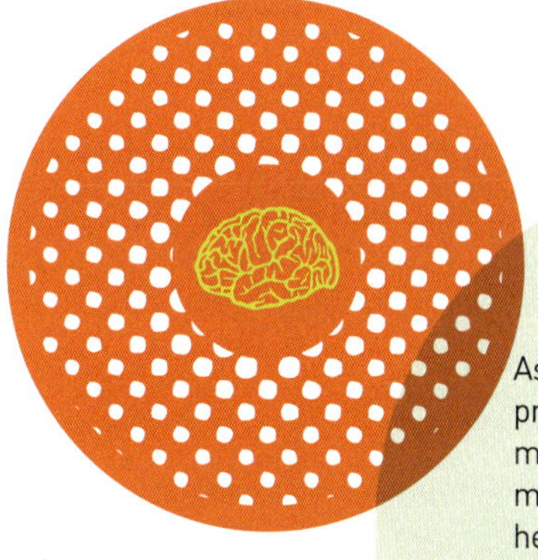

SEM PASSAGEM

As drogas que afetam o cérebro precisam ser feitas de partículas muito pequenas para passar por uma membrana chamada barreira hematoencefálica. Num trabalho conjunto com psicólogos biológicos, os cientistas tentam solucionar o problema da drogadição, criando químicos que se unam às drogas e tornando-as grandes demais para atravessar a barreira.

MEU ESPELHO, ESPELHO

Nosso cérebro responde aos movimentos do corpo e posições de outras pessoas. Neurônios-espelho são ativados em resposta à observação de ações específicas, ajudando-nos a imitar movimentos e aprender novas habilidades, como um passo de dança ou um saque irrebatível no tênis. É por isso que aprendemos melhor copiando um profissional.

Como nossa **MENTE** funciona?

A psicologia cognitiva é o estudo dos processos mentais, mais do que do comportamento humano. Os psicólogos cognitivos examinam a forma como nossa mente lida com as informações recebidas pelos sentidos – por exemplo, a compreensão do que vemos e ouvimos – e como se dá o aprendizado de uma nova linguagem ou o armazenamento da memória.

O que é CONHECIMENTO?

Decisões, decisões e mais DECISÕES

Por que nos LEMBRAMOS das coisas?

Como as memórias são ARMAZENADAS?

Não CONFIE na sua memória

SOBRECARGA de informações?

O fenômeno da LINGUAGEM

Estamos nos ENGANANDO?

Como COMPREENDEMOS o mundo?

Não ACREDITE em seus olhos

O que é

O QUE SABEMOS – NOSSO CONHECIMENTO – É CONSTITUÍDO PELO QUE DESCOBRIMOS SOBRE O MUNDO À NOSSA VOLTA E PELA FORMA COMO VIVEMOS NELE. QUANDO FICAMOS SABENDO DE ALGO OU APRENDEMOS ALGUMA COISA, ARMAZENAMOS ESSA INFORMAÇÃO NA MEMÓRIA. AS INFORMAÇÕES QUE ARMAZENAMOS E CONSEGUIMOS LEMBRAR SÃO O QUE CHAMAMOS DE CONHECIMENTO.

Não se atenha aos fatos

Por muito tempo, as pessoas achavam que o conhecimento consistia em fatos, e os métodos tradicionais de ensino focavam na memorização de informações, incluindo repetições constantes. Com o surgimento da psicologia como ciência no século XX, porém, as ideias sobre conhecimento começaram a mudar. As formas de aprender e de lembrar as coisas tornaram-se grandes ramificações de estudo na psicologia, colocando em questionamento a ideia de que o conhecimento é a simples memorização de fatos e trazendo uma nova perspectiva ao papel do professor e do aluno no processo de aprendizagem.

Mesmo assim, os primeiros psicólogos behavioristas continuaram considerando o conhecimento um conjunto de fatos que poderiam ser aprendidos por meio do condicionamento. Alguns, em especial John B. Watson, acreditavam que quase tudo poderia ser ensinado dessa maneira. Outros, contudo, entre eles Edward Thorndike e B. F. Skinner, chegaram à conclusão de que o aprendizado não se resume a coletar e armazenar informações do mundo externo. O aprendiz também tem uma função a desempenhar, explorando ativamente seu meio e aprendendo através da experiência.

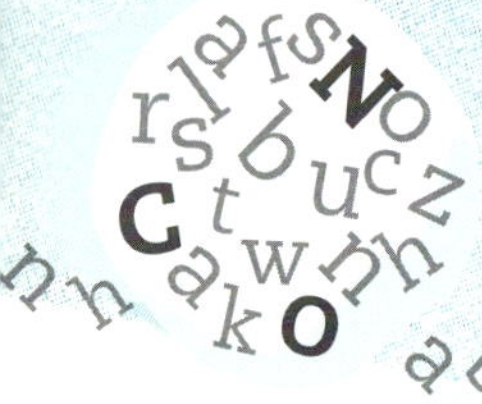

Diminuir o tempo de aula pode nos ajudar a aprender de maneira mais eficaz – nosso cérebro tende a desligar se estiver sobrecarregado.

Bola de neve

Nossa forma de adquirir conhecimento é comparável a uma bola de neve que cresce ao rolar montanha abaixo. Buscamos sentido na informação que recebemos e, dessa forma, nos lembramos melhor da informação. A melhor maneira de aprender é pela experiência, em contraposição à mera aquisição de informações.

CONHECIMENTO?

Precisamos vivenciar as coisas

Os psicólogos do desenvolvimento, como Jean Piaget e Lev Vygotsky, aprofundaram essa ideia. Eles perceberam que as crianças desenvolvem o conhecimento passo a passo, revisando ideias cada vez com mais detalhes e fazendo conexões com outras ideias. Vale ressaltar que esse processo envolve uma experiência ativa e contínua por parte da criança, em contraposição à mera aquisição de informações. Portanto, um professor simplesmente nos dizer ou mostrar algo nem sempre é a melhor forma de aprender. O conhecimento tem maior probabilidade de permanecer em nossa cabeça se formos incentivados a participar do processo de aprendizagem – por exemplo, fazendo um bolo, em vez de somente ler a receita –, processando, em seguida, as novas informações.

CONHECIMENTO É UM PROCESSO, NÃO UM RESULTADO.

JEROME BRUNER

A compreensão do mundo

Um dos primeiros psicólogos, Hermann Ebbinghaus, demonstrou em 1885 que nos lembramos melhor das coisas se elas tiverem um significado para nós. Um poema, por exemplo, é mais fácil de lembrar do que um conjunto aleatório de letras. Mais recentemente, o psicólogo cognitivo Jerome Bruner chegou à conclusão de que, como precisamos compreender a informação para aprendê-la, a aquisição de conhecimento envolve pensamento, raciocínio, sentidos e memória. Aprendizagem não é só o que fazemos para adquirir conhecimento, mas um processo mental – de encontrar sentido na informação recebida e conectá-la com outro conhecimento. Como a aprendizagem é um processo contínuo, nosso conhecimento está em constante transformação.

A AQUISIÇÃO DE CONHECIMENTO É UM PROCESSO CONTÍNUO.

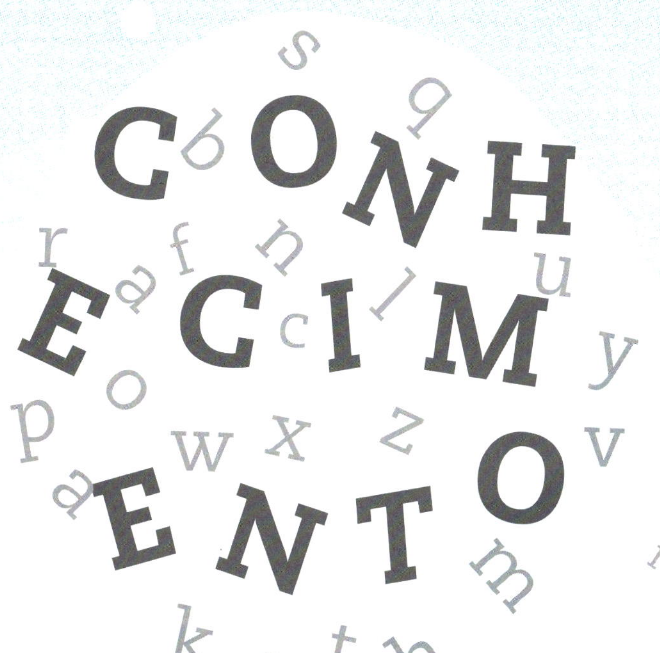

Veja também: 16–17, 24–25

Decisões, decisões

DURANTE TODA A NOSSA VIDA, DEPARAMOS COM SITUAÇÕES QUE EXIGEM REFLEXÃO. TEMOS QUE RESOLVER PROBLEMAS E TOMAR DECISÕES E, PARA ISSO, DEVEMOS USAR NOSSA CAPACIDADE DE PONDERAÇÃO – PENSAR NO PROBLEMA E COMPREENDÊ-LO. ESSE PROCESSO DE PENSAMENTO RACIONAL NOS DÁ AS INFORMAÇÕES NECESSÁRIAS PARA A TOMADA DE DECISÃO.

OS ANIMAIS SOLUCIONAM PROBLEMAS PRIMEIRO NA MENTE.

WOLFGANG KÖHLER

Bananas em lugares inusitados

A ponderação, ou a capacidade de pensar em um problema, é um dos processos mentais que mais interessam aos psicólogos cognitivos. Mas os primeiros psicólogos também estudaram nossa forma de solucionar problemas. De 1913 a 1920, o psicólogo alemão Wolfgang Köhler foi diretor de um instituto de pesquisa com uma colônia de chimpanzés. Köhler começou a fazer diversas experiências com chimpanzés, incumbindo-lhes de várias tarefas, como pegar bananas nos lugares mais inusitados, para observar como eles encontravam soluções. Quando os chimpanzés percebiam que não conseguiam alcançar a comida, subiam em caixas ou usavam algo para ajudá-los. Köhler observou que, após tentar diversos métodos, os chimpanzés paravam e pensavam no que haviam descoberto. O psicólogo chegou à conclusão de que estavam refletindo sobre o que havia funcionado e o que não havia, reconhecendo padrões e fazendo conexões que os ajudariam a solucionar problemas semelhantes no futuro.

Mapas mentais para encontrar soluções

Na época em que Köhler observava o processo de reflexão dos chimpanzés, os psicólogos, em sua maioria, estavam mais interessados em comportamento, em vez de processos mentais. Os psicólogos behavioristas acreditavam que nós (e outros animais) aprendemos simplesmente por estímulo e resposta. Alguns, porém, sabiam que não era só isso. Edward Tolman, por exemplo, explicou que realmente exploramos o mundo num processo de tentativa e erro, descobrindo o que nos traz recompensas ou não, mas também pensamos a respeito e desenvolvemos uma espécie de "mapa mental" do mundo à nossa volta. Utilizamos esse mapa, então, para nos ajudar a resolver problemas e tomar decisões.

Decisões ilógicas

O pensamento racional – a reflexão – é crucial para nos ajudar a compreender os problemas e determinar formas de resolvê-los. É o que nos permite tomar decisões sensatas, escolhendo o que fazer com base nas provas de nossa própria experiência. Mas os psicólogos israelenses Daniel Kahneman e Amos Tversky afirmaram que nossa ponderação nem sempre é confiável e que às vezes tomamos decisões aparentemente racionais, mas que, na verdade, baseiam-se num raciocínio errado ou em raciocínio nenhum. A partir de nossa experiência, formamos uma série de "regras práticas", a que recorremos quando precisamos tomar uma decisão. Essas regras, todavia, baseiam-se sobretudo em nossa pouca experiência pessoal e talvez não constituam uma imagem fiel da situação. Além disso, as regras que criamos podem estar comprometidas com nossas opiniões e crenças pessoais. Apesar de nos ajudarem a tomar decisões de maneira mais simples e rápida, essas regras muitas vezes

APÓS OBSERVAREM UMA LONGA SEQUÊNCIA DE VERMELHOS NA ROLETA, A MAIORIA DAS PESSOAS ACREDITA EQUIVOCADAMENTE QUE DARÁ PRETO NA PRÓXIMA RODADA.

DANIEL KAHNEMAN E AMOS TVERSKY

e mais DECISÕES

nos levam a tomar decisões irracionais – mesmo que as consideremos racionais. Kahneman e Tversky chegaram à conclusão de que baseamos nossas decisões numa reflexão falha, identificando diferentes maneiras equivocadas de pensar. Chamadas de "vieses cognitivos", baseiam-se sobretudo em nossas experiências pessoais, de modo que as decisões irracionais que tomamos em decorrência deles podem nos servir para as situações do dia a dia. Mas no momento em que precisarmos tomar uma decisão importante, especialmente em situações novas para nós, devemos estar conscientes de que esses vieses podem nos desencaminhar. Compreender nossos furos de raciocínio pode nos ajudar a evitar erros perigosos ou caros.

Por que nos LEMBRAMOS

À MEDIDA QUE APRENDEMOS AS COISAS, VAMOS ARMAZENANDO UMA REPRESENTAÇÃO DAS INFORMAÇÕES EM NOSSA MENTE EM FORMA DE MEMÓRIA. QUANDO NOS LEMBRAMOS DAS COISAS, ESTAMOS ACESSANDO ESSA REPRESENTAÇÃO. MAS EVOCAR NOSSAS MEMÓRIAS NEM SEMPRE É FÁCIL, E NOS LEMBRAMOS MAIS DE ALGUMAS COISAS DO QUE DE OUTRAS. DE UM MODO GERAL, PRECISAMOS DE ALGUM TIPO DE SINAL PARA ATIVAR UMA DETERMINADA MEMÓRIA.

Como a memória funciona

Os psicólogos tentam compreender a memória humana desde que a psicologia começou a ser estudada como ciência. Um dos primeiros psicólogos, Hermann Ebbinghaus, observou que, mesmo quando achamos que aprendemos algo, no dia seguinte verificamos que esquecemos quase tudo. Em suas experiências inovadoras, Ebbinghaus demonstrou que nos lembramos melhor das coisas se tivermos mais tempo para aprendê-las. Outra descoberta foi que listas de palavras ou números aleatórios são mais difíceis de lembrar do que algo que tenha algum

Interrupção brusca

Quando o que estamos fazendo é interrompido, nossa mente tende a persistir naquela atividade. Por isso lembramos melhor de tarefas interrompidas do que de coisas que não precisam mais de nossa atenção.

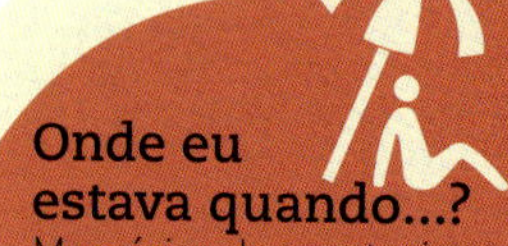

Onde eu estava quando...?

Memórias de acontecimentos e fatos estão conectadas, tanto que achamos mais fácil nos lembrar das coisas se conseguirmos nos lembrar onde e quando ficamos sabendo daquilo.

POR QUE NOS LEMBRAMOS DE ALGUMAS COISAS MAIS DO QUE DE OUTRAS?

Estado de ânimo

As memórias estão associadas ao nosso estado de ânimo, de modo que nos lembramos de coisas passadas que correspondam ao nosso estado de ânimo atual.

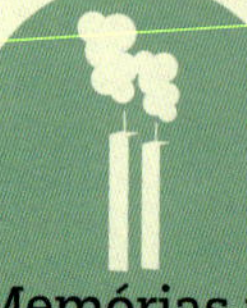

Memórias vívidas

Acontecimentos com grande carga de emoção ficam gravados em nossa memória, e conseguimos nos lembrar facilmente o que estávamos fazendo quando algo dramático aconteceu.

das coisas?

Veja também: 64–65, 66–67

significado para nós, e que costumamos nos lembrar mais do início ou do fim de uma sequência do que do meio. Psicólogos posteriores continuaram a investigar a relação entre nossa forma de aprender e nossa capacidade de memorização. Por exemplo, Bluma Zeigarnik ouviu dizer que os garçons conseguiam lembrar dos pedidos que ainda não haviam sido pagos com maior facilidade do que os pedidos pagos. Intrigada, ela fez uma experiência na qual os participantes deviam resolver quebra--cabeças simples, sendo interrompidos em cerca de metade das tarefas. Mais tarde, os participantes declararam que achavam mais fácil lembrar dos detalhes dos quebra--cabeças interrompidos. Assim como no caso dos garçons, uma tarefa que ainda não foi concluída geralmente ficará em nossa mente.

Uma pista, por favor

Psicólogos cognitivos como Zeigarnik consideravam a memória uma espécie de sistema de processamento de informações. Segundo Endel Tulving, temos diferentes tipos de memória para armazenar diferentes tipos de informação: memória de fatos e conhecimento, memória de acontecimentos ou experiências, e memória de como fazer as coisas. Tulving também descreveu a memória como dois processos separados: armazenamento de informações na memória de longo prazo (aprendizado) e acesso de informações (lembrança). Esses dois processos, dizia Tulving, estão conectados. Por exemplo, se nos lembrarem do que estava acontecendo no momento em que armazenamos informações na memória de longo prazo, será mais fácil acessá-la. Isso é um exemplo de como uma pista pode ativar a recuperação da informação ou "refrescar nossa memória".

Estados de espírito que alteram a memória

Nosso estado de ânimo também pode nos ajudar a lembrar de coisas específicas. De acordo com Gordon H. Bower, "os acontecimentos e as emoções são armazenados juntos na memória", e nossas memórias de acontecimentos e experiências estão diretamente ligadas a nosso estado de espírito. Portanto, quando estamos felizes, costumamos nos lembrar de coisas que aconteceram quando estávamos de bom humor; quando estamos infelizes, costumamos nos lembrar de coisas que aconteceram quando estávamos de mau humor. Roger Brown chamava os casos extremos de memória vinculada ao humor de "memórias vívidas" – querendo dizer que nos lembramos com maior precisão do que estávamos fazendo se algo dramático ou com grande carga de emoção tiver acontecido, como o momento em que ouvimos as notícias dos ataques terroristas de Onze de Setembro ou se recebemos o comunicado da morte de um amigo ou parente.

> **AS MEMÓRIAS VÍVIDAS SÃO DESENCADEADAS POR ACONTECIMENTOS COM GRANDE CARGA DE EMOÇÃO.**
>
> ROGER BROWN

É mais provável que nos lembremos dos sonhos se formos acordados enquanto estivermos sonhando.

OS MERGULHADORES DE BADDELEY

Numa experiência criada por Alan Baddeley, um grupo de mergulhadores devia memorizar uma lista de palavras. Algumas foram lidas em terra firme, e outras, debaixo d'água. Na hora de lembrar das palavras, os mergulhadores conseguiam lembrar melhor das que haviam sido lidas dentro d'água quando voltavam para a água, e das outras quando estavam em terra firme. Esse é um exemplo de memória vinculada ao contexto.

ELIZABETH LOFTUS

1944–

Nascida em Los Angeles, EUA, em 1944, Elizabeth Loftus estudou matemática na Universidade da Califórnia com a intenção de se tornar professora. Após fazer algumas aulas de psicologia, no entanto, decidiu tomar outro rumo, obtendo o título de ph.D. nessa disciplina pela Universidade de Stanford. Passou então a estudar a memória de longo prazo – assunto ao qual dedica sua carreira.

BATIDA DE CARRO

Um dos primeiros estudos de Loftus testava a confiabilidade de testemunhas oculares em processos judiciais criminais, determinando se elas seriam influenciadas por perguntas capciosas. Os participantes assistiam a pequenos vídeos de acidentes de carro e deviam estimar a velocidade do veículo. As estimativas eram mais altas quando lhes perguntavam a que velocidade os carros se "estraçalharam" um com outro, em vez de simplesmente "bateram".

MEMÓRIAS FALSAS

Na década de 1990, George Franklin estava convencido de um assassinato que havia acontecido 20 anos antes, baseado na lembrança que sua filha teve durante uma sessão de hipnose. Segundo Loftus, embora a moça acreditasse piamente no que vira, sua memória era falsa, resultado de sugestão durante a hipnoterapia. A convicção de Franklin foi derrubada.

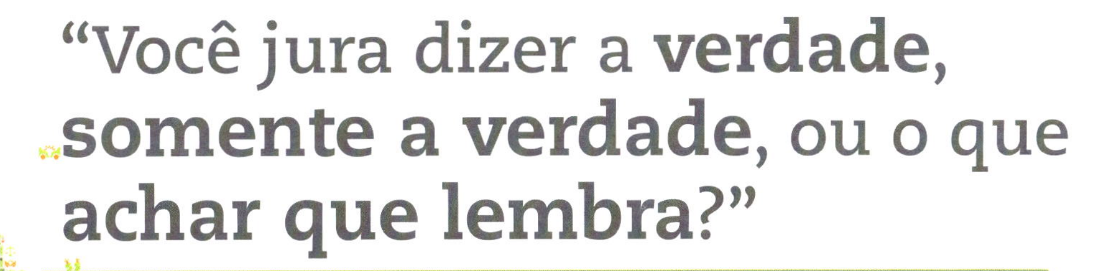

"Você jura dizer a **verdade**, **somente a verdade**, ou o que **achar que lembra?**"

Loftus prestou consultoria sobre a confiabilidade de testemunhas oculares em mais de 250 casos judiciais, incluindo o julgamento do cantor Michael Jackson.

ENCONTRO COM PERNALONGA

Em outra experiência, Loftus montou um grupo de discussão falso para uma suposta propaganda, a pedido da Disneylândia, com pessoas que já haviam visitado o parque. Os participantes viam um anúncio que mencionava o Pernalonga, sentados diante de um desenho recortado do personagem. A pergunta que lhes faziam era se haviam encontrado o famoso coelho quando visitaram o parque. Cerca de um terço dos participantes respondeu que sim, embora o Pernalonga seja um personagem da Warner Brothers, não da Disney.

ADEUS, HÁBITOS RUINS

Loftus queria saber se o uso de memórias falsas poderia influenciar o comportamento das pessoas, como os hábitos alimentares. Numa experiência, levou os participantes a acreditar que já haviam passado mal com sorvete de morango na infância. Uma semana depois, muitos participantes haviam desenvolvido memórias detalhadas do incidente e criado aversão a sorvete. Segundo Loftus, esse método poderia ser utilizado na luta contra a obesidade infantil.

Como as memórias são

À MEDIDA QUE APRENDEMOS NOVAS COISAS, ARMAZENAMOS AS INFORMAÇÕES EM NOSSA MENTE EM FORMA DE MEMÓRIA – NÃO SOMENTE CONHECIMENTO E FATOS, MAS TAMBÉM MEMÓRIAS DE COISAS QUE VIMOS E FIZEMOS E DE COMO FAZER AS COISAS. PARA FACILITAR O ACESSO A ESSAS MEMÓRIAS NUM MOMENTO PRECISO, NOSSA MENTE AS ORGANIZA E AS ARMAZENA SISTEMATICAMENTE.

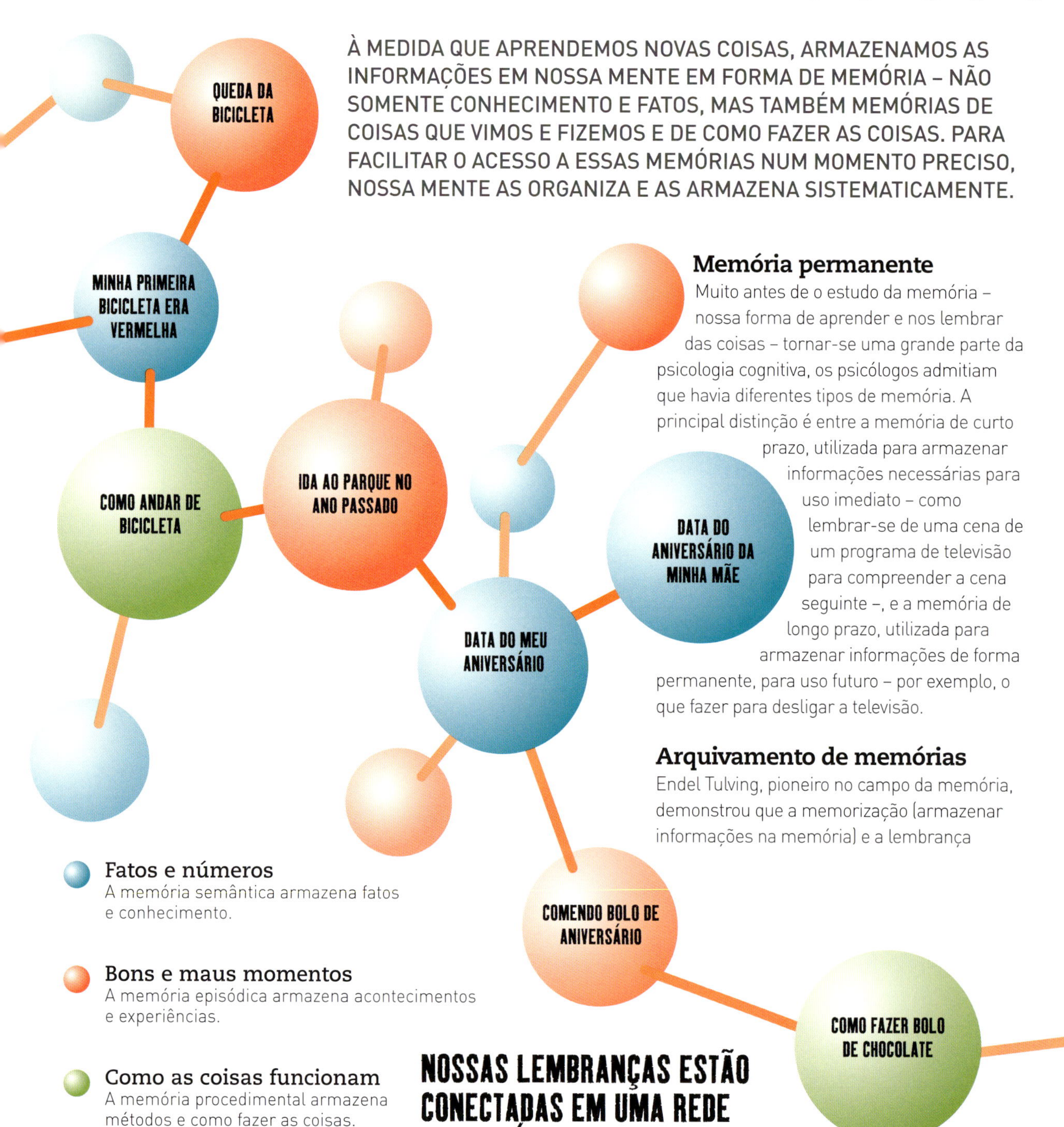

Memória permanente

Muito antes de o estudo da memória – nossa forma de aprender e nos lembrar das coisas – tornar-se uma grande parte da psicologia cognitiva, os psicólogos admitiam que havia diferentes tipos de memória. A principal distinção é entre a memória de curto prazo, utilizada para armazenar informações necessárias para uso imediato – como lembrar-se de uma cena de um programa de televisão para compreender a cena seguinte –, e a memória de longo prazo, utilizada para armazenar informações de forma permanente, para uso futuro – por exemplo, o que fazer para desligar a televisão.

Arquivamento de memórias

Endel Tulving, pioneiro no campo da memória, demonstrou que a memorização (armazenar informações na memória) e a lembrança

Fatos e números
A memória semântica armazena fatos e conhecimento.

Bons e maus momentos
A memória episódica armazena acontecimentos e experiências.

Como as coisas funcionam
A memória procedimental armazena métodos e como fazer as coisas.

NOSSAS LEMBRANÇAS ESTÃO CONECTADAS EM UMA REDE DE MEMÓRIAS.

ARMAZENADAS?

A MEMÓRIA É UMA VIAGEM MENTAL NO TEMPO.
ENDEL TULVING

(acessar as memórias armazenadas) são dois processos diferentes, mas conectados. Colocamos uma grande quantidade de informações em nosso "armazém" de memórias e precisamos acessar memórias específicas em diferentes ocasiões. Se as informações fossem armazenadas de maneira aleatória, o acesso a elas seria quase impossível. Portanto, nossas memórias precisam ser organizadas de alguma forma. Segundo Tulving, temos três tipos diferentes de memória: a memória semântica, que armazena fatos e conhecimento; a memória episódica, que registra acontecimentos e experiências; e a memória procedimental, que nos lembra como fazer as coisas. Cada uma dessas memórias é subdividida, de modo que as informações fiquem ainda mais acessíveis. Isso significa que, em vez de ter que buscar em toda a memória, nossa mente pode ir direto ao que interessa. Por exemplo, se o armazém de memória episódica organiza as memórias de eventos de acordo com o momento e o lugar em que ocorreram, nossa mente pode acessar lembranças específicas, levando-nos de volta a esse momento e lugar. De modo similar, Tulving afirmou que o armazém de memória semântica é organizado em categorias. Em diversas experiências, verificou que os participantes lembravam-se com maior facilidade de palavras de uma lista aleatória quando sua categoria era mencionada: palavras como "gato" ou "colher" eram lembradas à menção da categoria "animal" ou "utensílio". Psicólogos posteriores ressaltaram que as coisas podem pertencer a mais de uma categoria – por exemplo, a palavra "maçã" pode entrar na categoria "fruta" ou "empresa" (Apple). Em vez de listarem diferentes categorias, descreveram a memória como uma "rede" de lembranças interconectadas.

O chocolate é um dos diversos "superalimentos" que melhoram o fluxo de sangue no cérebro e podem nos ajudar a formar memórias.

Veja também: 60–61, 66–67

Em nossas próprias palavras

O psicólogo britânico Frederic Bartlett apresentou uma explicação ligeiramente diferente de como nossa memória é organizada. Pediu a uma série de estudantes para ler uma história complicada e depois contá-la com suas próprias palavras. Embora se lembrassem da história como um todo, os jovens não conseguiam se lembrar de algumas partes. Bartlett verificou que mudavam detalhes que não se enquadravam em sua própria experiência, de modo que a história fizesse sentido para eles. A conclusão foi que todos nós temos um "esquema" – um conjunto de ideias definido por nossa experiência – que serve de sistema de referência para nossas memórias. Embora isso nos ajude a armazenar algumas memórias, é muito difícil manter lembranças que não se encaixam em nosso esquema individual.

A MEMÓRIA É UMA RECONSTRUÇÃO IMAGINATIVA ERGUIDA A PARTIR DE NOSSA ATITUDE EM RELAÇÃO A EXPERIÊNCIAS PASSADAS.
FREDERIC BARTLETT

Não **CONFIE**

NOSSAS MEMÓRIAS PODEM NOS DESAPONTAR COM FREQUÊNCIA. ALGUMAS VEZES, TEMOS CERTEZA DE QUE ARMAZENAMOS UMA INFORMAÇÃO NA MEMÓRIA, MAS NÃO CONSEGUIMOS NOS LEMBRAR DE NADA, COMO O NOME DE UMA CELEBRIDADE OU A RESPOSTA A UMA PERGUNTA SIMPLES NA PROVA. OUTRAS VEZES, LEMBRAMOS ERRADO, MESMO ACHANDO QUE ESTAMOS CERTOS.

Por mais estranho que possa parecer, mascar chiclete pode melhorar nossa memória.

Espaço de armazenamento limitado

Um dos principais problemas relacionados à memória é que existe informação demais entrando em nossa mente para a capacidade de armazenamento que temos. Mesmo que tivéssemos mais espaço, nossa memória ficaria cheia de informações inúteis, dificultando o acesso às necessárias. Por conseguinte, nossa mente rotula algumas memórias como "lixo" e deixa que algumas lembranças mais antigas desapareçam. Na maior parte das vezes, esse sistema funciona bastante bem, permitindo-nos armazenar e acessar os fatos e experiências mais úteis. De vez em quando, porém, nossa mente armazena informações importantes num lugar de difícil acesso, e não conseguimos nos lembrar do que precisamos, ou nos lembramos apenas parcialmente, confundindo-as até com outras informações. O psicólogo americano Daniel Schacter fez uma lista com sete maneiras de a memória nos desapontar, batizando-a de "os sete pecados da memória".

Está na ponta da língua

Schacter percebeu que existem diversos motivos para não lembrarmos das coisas. Às vezes, sabemos que sabemos algo, mas não conseguimos acessar a memória. Isso pode acontecer porque a informação foi armazenada

OS 7 PECADOS DA MEMÓRIA

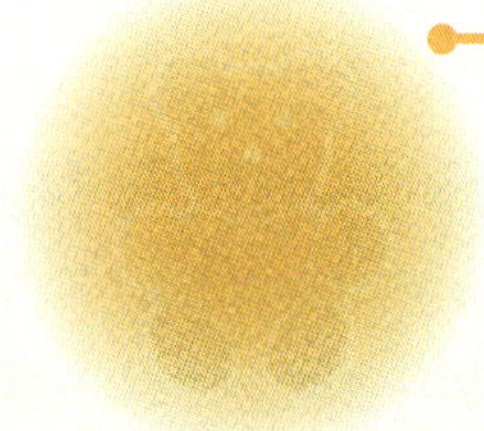

A névoa do tempo

Devido ao pecado da "transitoriedade", memórias remotas tendem a desaparecer. Isso significa que as memórias de muito tempo atrás são mais difíceis de acessar do que as armazenadas recentemente.

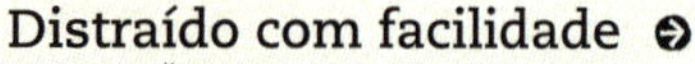

Distraído com facilidade

O pecado da "distração" significa que às vezes não armazenamos as coisas de maneira adequada na memória porque estamos concentrados em outra coisa.

Está lá, em algum lugar

Algumas vezes, sabemos que sabemos de algo, mas não conseguimos nos lembrar do que queremos. Isso acontece porque outra memória está atravancando o caminho da informação. Eis o pecado do "bloqueio".

na sua memória

há muito tempo ou de maneira inadequada, ou porque outras memórias entraram em jogo, atrapalhando o processo – sobretudo memórias perturbadoras que não conseguimos tirar da mente. Muitas vezes achamos que nos lembramos de algo, mas nossa mente confunde diferentes lembranças. Até a memória vívida de um acontecimento pode ser prejudicada por outras memórias, de modo que nossa lembrança é diferente do que realmente aconteceu. Nossa memória do passado também é influenciada pela nossa forma atual de pensar e sentir.

Memórias distorcidas

Na maior parte das vezes, lembramos das coisas com bastante precisão, sobretudo coisas importantes para nós. De um modo geral, as pessoas se equivocam nos detalhes, como quem disse uma determinada frase ou quando o evento aconteceu. Experiências de Elizabeth Loftus revelaram que nossas lembranças dos acontecimentos costumam ser imprecisas, apesar de acharmos que não. Fatores como perguntas capciosas, emoções e acontecimentos subsequentes podem influenciar nossa forma de recordar eventos traumáticos, como testemunhar um crime ou um acidente de trânsito. O trabalho de Loftus colocou em questionamento a confiabilidade de algumas testemunhas oculares em processos judiciais. De modo ainda mais polêmico, Loftus também questionou as "memórias falsas" de algumas pessoas que afirmavam terem sido vítimas de abuso infantil.

AS PESSOAS PODEM VIR A ACREDITAR EM COISAS QUE NUNCA ACONTECERAM DE FATO.
ELIZABETH LOFTUS

Veja também: 60–61, 62–63, 64–65

Presente e passado

Quando nos lembramos de algo, nossas opiniões e emoções podem ser diferentes das que tínhamos no momento em que armazenamos aquela memória. Quando nosso estado de espírito e pensamentos modificam nossas lembranças, estamos cometendo o pecado da "distorção".

Quem disse isso?

O pecado da "atribuição errada" é quando a informação está certa, mas a fonte, não. Achamos que vimos algo no noticiário, por exemplo, quando na verdade foi um amigo que nos contou.

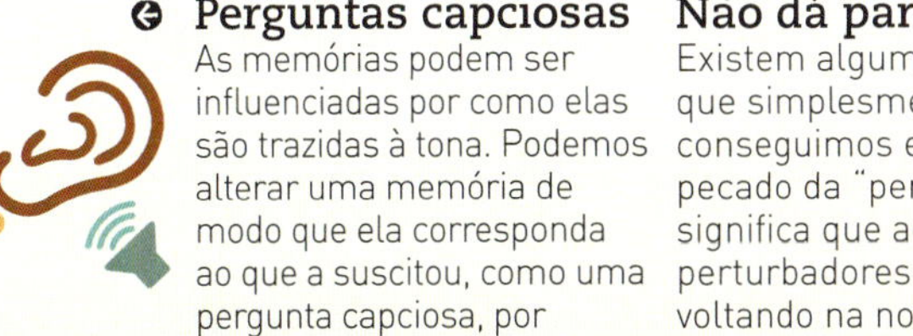

Perguntas capciosas

As memórias podem ser influenciadas por como elas são trazidas à tona. Podemos alterar uma memória de modo que ela corresponda ao que a suscitou, como uma pergunta capciosa, por exemplo. Eis o pecado da "sugestionabilidade".

Não dá para esquecer

Existem algumas memórias que simplesmente não conseguimos esquecer. O pecado da "persistência" significa que acontecimentos perturbadores continuam voltando na nossa mente.

ESTRESSE PÓS-TRAUMÁTICO

Um exemplo extremo da persistência de memórias indesejadas acontece no transtorno de estresse pós-traumático. Por exemplo, soldados que voltaram do campo de batalha geralmente não conseguem esquecer as experiências terríveis que viveram. Essas memórias continuam a persegui-los, atrapalhando o acesso à memória de coisas boas e dificultando a reinserção na vida cotidiana depois da guerra.

SOBRECARGA de informações?

QUANDO ESTAMOS ACORDADOS, NOSSOS SENTIDOS ESTÃO O TEMPO TODO CAPTANDO INFORMAÇÕES SOBRE O MUNDO À NOSSA VOLTA. EXISTE UMA GRANDE QUANTIDADE DE COISAS PARA VERMOS, OUVIRMOS, CHEIRARMOS E TOCARMOS – É TANTA INFORMAÇÃO QUE NOSSA MENTE NÃO CONSEGUE ABSORVER TUDO E SELECIONA AQUILO EM QUE DEVEMOS FOCAR, "DESCARTANDO" O RESTO.

Preste atenção

Algumas tarefas envolvem o contato com uma grande quantidade de informações e a seleção do que é importante. Para pilotar um avião, um piloto precisa, além da tarefa óbvia de comandar a aeronave, verificar medidores e ouvir as instruções do controle de tráfego aéreo e de outros membros da tripulação em fones de ouvido. Donald Broadbent, psicólogo que serviu à Força Aérea Real durante a Segunda Guerra Mundial, estudou como os pilotos lidam com todas essas informações. Broadbent realizou experiências em que os participantes ouviam diferentes informações em cada fone de ouvido. A missão era concentrar-se apenas nas informações de um dos fones, e Broadbent verificou que eles não registravam o conteúdo do outro canal. A conclusão foi que só conseguimos ouvir uma voz de cada vez. Quando estamos recebendo informações de muitos canais diferentes, nossa mente simplesmente fecha todos os canais e foca apenas o canal em que precisamos prestar atenção.

NOSSA MENTE PODE SER VISTA COMO UM RÁDIO, QUE RECEBE MUITOS CANAIS AO MESMO TEMPO.

DONALD BROADBENT

Sintonia fina

O estudo de Broadbent referente à atenção é muito parecido com o trabalho do cientista Colin Cherry sobre informação. Cherry queria entender como selecionamos o canal de informação em que prestamos atenção, isolando-o dos outros. Fazendo uma comparação com nossa capacidade de

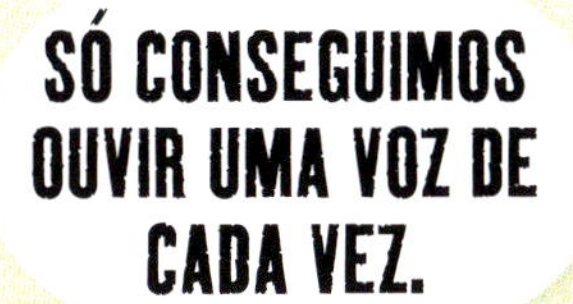

Você está ouvindo? Quando estamos numa sala cheia, costumamos focar nossa atenção numa única conversa, ignorando o barulho ambiente. Mas sintonizamos rapidamente em outra conversa se ouvirmos algo que nos interessa.

"Multitarefa", na verdade, significa mudar de tarefa entre diferentes tarefas – nosso cérebro as manipula, uma de cada vez, numa espécie de malabarismo.

ouvir apenas uma conversa numa festa barulhenta, o cientista britânico apresentou o "problema do coquetel". Cherry descobriu que "sintonizamos" em coisas como um tom específico de voz, e nossa mente bloqueia o que considera "barulho de fundo". Por incrível que pareça, se alguém menciona nosso nome em outra conversa ou alguma coisa que nos interessa, nossa atenção é atraída. Broadbent observou um efeito similar no caso dos pilotos, cuja atenção era atraída para outro canal quando se ouvia uma mensagem urgente no outro fone. Portanto, mesmo sem prestar atenção e descartando informações irrelevantes, nossos ouvidos estão captando tudo, e nossa mente é capaz de identificar mensagens importantes.

7, o número mágico

Toda essa informação, segundo Broadbent, é armazenada numa memória de curto prazo, onde apenas um canal é selecionado e o resto é descartado para evitar congestionamento. George Armitage Miller descreveu essa memória de curto prazo como um lugar em que a informação é processada, sobretudo antes de ser armazenada na memória de longo prazo. Em vez de examinar o processo de seleção de um canal para prestar atenção, Miller queria saber qual a capacidade dessa memória de curto prazo, "operacional". Em experiências nas quais apresentou uma série de notas ou exibiu brevemente diversos pontos numa tela, o psicólogo verificou que só conseguimos assimilar sete elementos por vez, concluindo que a capacidade da memória operacional é limitada a sete itens, que ele chamou de número mágico.

A MEMÓRIA DE CURTO PRAZO TEM CAPACIDADE PARA SETE ITENS POR VEZ.

GEORGE ARMITAGE MILLER

O GORILA INVISÍVEL

Num estudo para testar nossa atenção, foi apresentado um vídeo em que as pessoas passavam bolas de basquete umas para as outras. A missão era contar o número de passes. Os participantes do estudo ficaram tão envolvidos em contar os passes que não viram uma pessoa vestida de gorila atravessando o jogo, parando no meio da cena e saindo.

DONALD BROADBENT

1926–1993

Psicólogo britânico de grande influência, Donald Broadbent ajudou a popularizar a psicologia, com suas frequentes participações em programas de rádio e televisão. Broadbent nasceu em Birmingham e abandonou a escola para servir à Força Aérea Real durante a Segunda Guerra Mundial. Em seguida, foi estudar psicologia em Cambridge e trabalhou na Unidade de Psicologia Aplicada da universidade, tornando-se seu diretor em 1958. Em 1974, foi para a Universidade de Oxford, onde trabalhou até se aposentar, em 1991.

SÓ CONSEGUIMOS OUVIR UMA VOZ DE CADA VEZ

Broadbent é conhecido por seu trabalho sobre atenção. Devido à sua experiência na Força Aérea Real, ele estudou os problemas enfrentados por pilotos e controladores de tráfego aéreo, que precisam lidar com uma grande quantidade de informações ao mesmo tempo. Ele realizou experiências que demonstraram que só conseguimos ouvir uma voz de cada vez.

Broadbent nasceu na Inglaterra, mas sempre se considerou galês, porque passou grande parte da juventude no País de Gales.

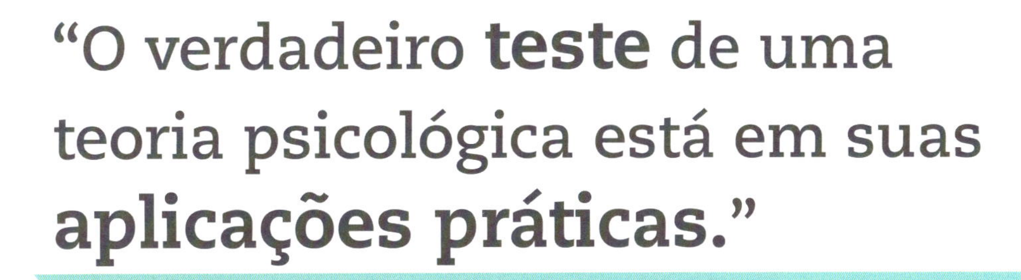

A PSICOLOGIA DEVE SOLUCIONAR OS PROBLEMAS DA VIDA PRÁTICA

Piloto e engenheiro aeronáutico de formação, Broadbent descobriu que muitos dos problemas dos pilotos, como ler errado os medidores ou confundir as alavancas, poderiam ser resolvidos por meio da psicologia. Segundo Broadbent, a psicologia deveria ser útil, não apenas algo teórico, e seu trabalho na Unidade de Psicologia Aplicada em Cambridge foi pioneiro no uso da psicologia para lidar com problemas práticos.

A MENTE É UM PROCESSADOR DE INFORMAÇÕES

Broadbent acreditava que a mente é uma espécie de "processador de informações" que recebe, armazena e acessa as informações vindas de nossos sentidos. Essa ideia de como funciona nossa mente tem muito em comum com as pesquisas realizadas nas áreas de comunicação e inteligência artificial depois da Segunda Guerra Mundial. Sempre desejando dar um cunho prático às suas teorias, ele colaborou com os cientistas da computação em pesquisas sobre a interação homem--computador.

CHEGA DE BARULHO

Em vez de realizar experiências num laboratório, Broadbent visitava fábricas e locais de trabalho para estudar os efeitos do barulho, do calor e do estresse nos trabalhadores, propondo mudanças no ambiente e nas práticas profissionais. Melhorias nas condições de trabalho não apenas beneficiavam os trabalhadores, como também aumentavam a eficiência e a produtividade.

O fenômeno

NOSSA CAPACIDADE DE TRANSMITIR IDEIAS COMPLEXAS UTILIZANDO A LINGUAGEM FALADA E ESCRITA É UMA DAS COISAS QUE DIFERENCIAM OS SERES HUMANOS DE OUTROS ANIMAIS. A PRÓPRIA LINGUAGEM JÁ É ALGO COMPLEXO, E NO ENTANTO AS CRIANÇAS APRENDEM PELO MENOS UMA LÍNGUA LOGO NO INÍCIO NA VIDA, E MAIS RÁPIDO DO QUE OUTRAS HABILIDADES. A QUESTÃO É: NOSSA FORMA DE APRENDER UMA LÍNGUA É DIFERENTE?

Veja também: 26–27, 42–43

Imitando os adultos

Por algum tempo, achava-se que aprendíamos a falar exatamente da mesma forma que desenvolvíamos outras habilidades. Os psicólogos do desenvolvimento, como Jean Piaget e Albert Bandura, diziam que nossa capacidade de usar a linguagem vinha da imitação de nossos pais e outros adultos. Segundo essa linha de pensamento, aprendemos gradualmente como o idioma funciona escutando os adultos falar e copiando o que eles dizem. Uma vez compreendida a estrutura da linguagem – a gramática –, podemos utilizar isso como referência e adicionar novas palavras, à medida que as aprendemos. O psicólogo behaviorista B. F. Skinner concordava que aprendemos a falar com os adultos, mas também acreditava que isso era uma espécie de condicionamento – uma criança produzindo palavras e frases é uma resposta condicionada, recompensada com sorrisos e elogios dos pais.

AS CRIANÇAS APRENDEM A FALAR IMITANDO OS ADULTOS.

ALBERT BANDURA

LINGUAGEM DE SINAIS

Um grupo de crianças surdas numa escola da Nicarágua desenvolveu uma forma única de comunicação. Mesmo sem ninguém ensinar, elas criaram uma linguagem de sinais própria. Essa linguagem acabou se transformando num idioma sofisticado, com gramática e tudo, similar a idiomas falados e escritos, mostrando que nascemos com algumas capacidades linguísticas fundamentais.

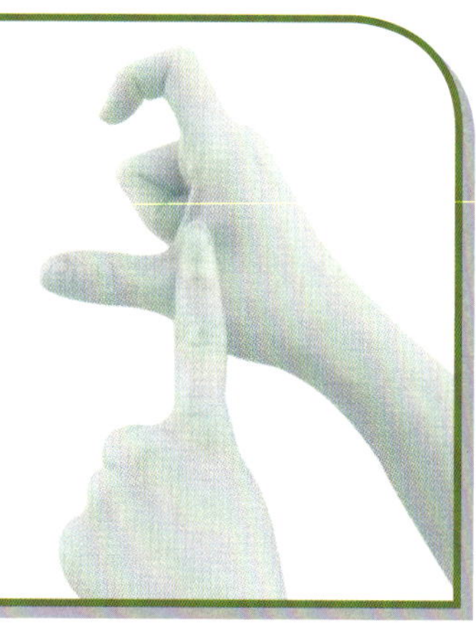

Capacidade programada

Alguns psicólogos, porém, sentiam que a linguagem era diferente de outras habilidades que desenvolvemos. Já na década de 1860, antes mesmo de a psicologia existir como ciência, os cientistas sabiam que havia partes específicas do cérebro relacionadas à fala. O médico francês Paul Broca descobriu que, se uma determinada área do cérebro fosse danificada, a capacidade de fala do indivíduo seria prejudicada. Seguindo o trabalho de Broca, o psiquiatra alemão Carl Wernicke identificou uma outra área do cérebro associada à compreensão da fala e à linguagem e produção de sentido. Essas descobertas levaram à conclusão de que existe uma espécie de capacidade de usar linguagem "programada" em nosso cérebro.

Gramática universal

Na década de 1960, o psicólogo cognitivo e linguista Noam Chomsky apresentou uma nova ideia, bastante controversa, sobre nossa forma de desenvolver linguagem. Chomsky havia reparado

da LINGUAGEM

As meninas normalmente aprendem a falar antes dos meninos – as áreas referentes à linguagem no cérebro feminino são cerca de 17% maiores.

que as crianças conseguiam entender o significado de frases inteiras desde muito cedo e logo aprendiam a falar utilizando regras gramaticais complexas, sem ninguém ensiná-las. Isso acontecia com crianças de todas as culturas, no aprendizado e uso de todo tipo de idioma.

Chomsky afirmou que nossa capacidade de aprender e utilizar a linguagem é algo congênito. Todos nós temos o que ele chamava de "dispositivo de aquisição de linguagem" – um potencial específico do cérebro de compreender a estrutura da linguagem. Além disso, como qualquer criança tem essa mesma capacidade de compreender a gramática, todas as linguagens humanas devem ter a mesma estrutura básica: uma "gramática universal". A ideia de Chomsky de uma capacidade inata instintiva para a linguagem era muito diferente das teorias anteriores referentes ao assunto, e nem todos os psicólogos concordaram com ele. Alguns continuam a sustentar que nossa capacidade linguística é semelhante a outras habilidades nossas de resolver problemas. O psicólogo cognitivo canadense Steven Pinker, porém, concorda com a visão de Chomsky, dizendo que nossa capacidade linguística é herdada, tendo sido desenvolvida pela evolução.

AS CRIANÇAS POSSUEM UMA CAPACIDADE INATA DE COMPREENDER A GRAMÁTICA.

O ÓRGÃO REFERENTE À LINGUAGEM CRESCE COMO QUALQUER OUTRO ÓRGÃO DO CORPO.

NOAM CHOMSKY

Nascido para falar As crianças aprendem rapidamente a construir frases, respeitando regras gramaticais, sem nunca terem aprendido gramática. Isso leva a crer que nascemos conhecendo o funcionamento da linguagem.

Estamos

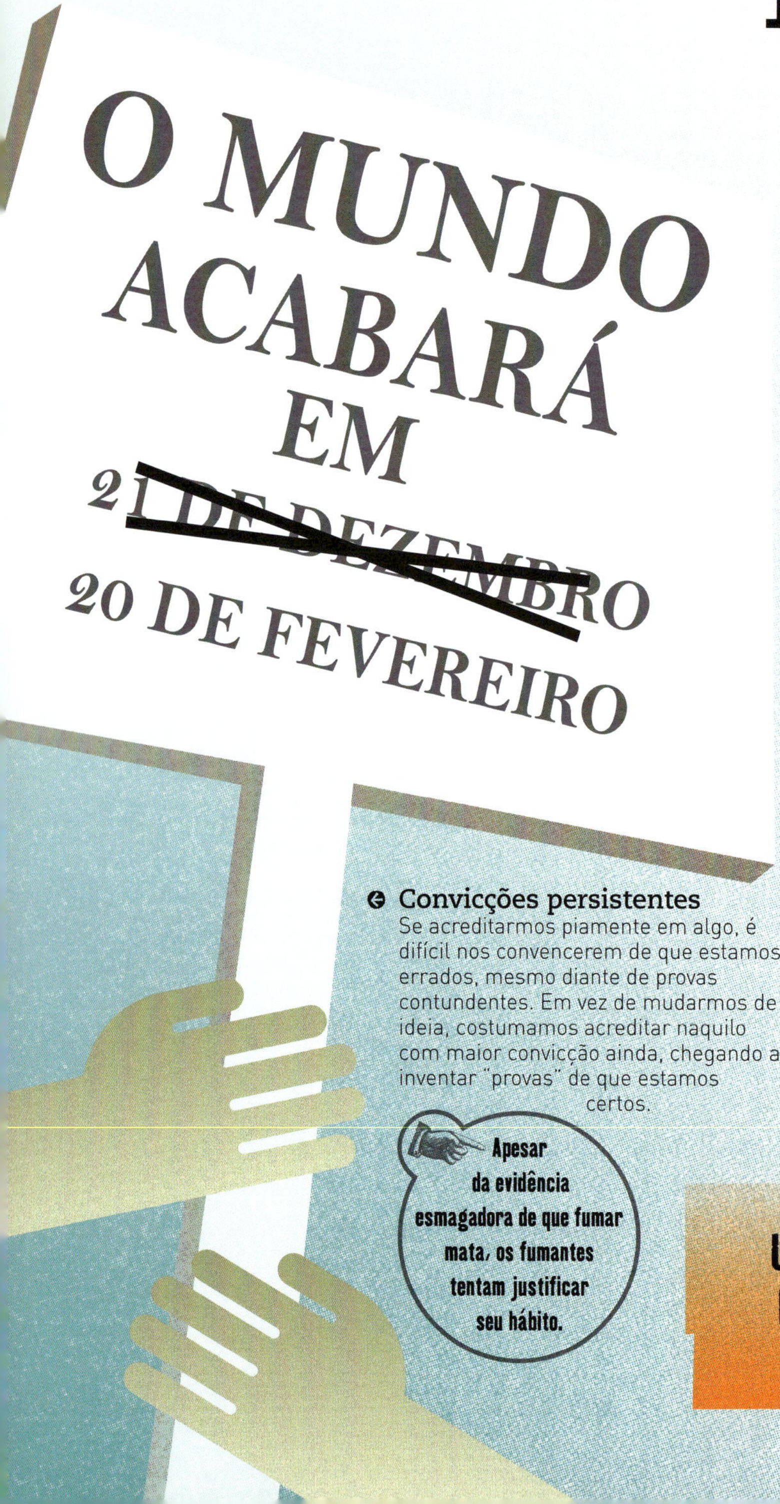

O MUNDO ACABARÁ EM ~~21 DE DEZEMBRO~~ 20 DE FEVEREIRO

É DIFÍCIL FAZER AS PESSOAS MUDAREM DE IDEIA QUANDO ELAS JÁ TÊM UMA OPINIÃO FORMADA. MESMO DIANTE DE PROVAS CONTUNDENTES DE QUE ESTÃO ERRADAS, ELAS CONTINUAM ACHANDO QUE ESTÃO CERTAS. TODOS NÓS JÁ PASSAMOS POR SITUAÇÕES ASSIM, EM QUE É ÓBVIO QUE ESTAMOS EQUIVOCADOS, MAS NOS ENGANAMOS DIZENDO QUE TEMOS UM BOM MOTIVO PARA NOSSA POSIÇÃO.

Convicções persistentes
Se acreditarmos piamente em algo, é difícil nos convencerem de que estamos errados, mesmo diante de provas contundentes. Em vez de mudarmos de ideia, costumamos acreditar naquilo com maior convicção ainda, chegando a inventar "provas" de que estamos certos.

Apesar da evidência esmagadora de que fumar mata, os fumantes tentam justificar seu hábito.

Uma convicção inabalável

Nossas convicções são muito importantes para nós. Nosso estilo de vida baseia-se no conhecimento que temos e no que consideramos verdade. Portanto, quando alguém questiona algo em que acreditamos piamente, sentimo-nos bastante desconfortáveis. O psicólogo americano Leon Festinger chamou esse sentimento de "dissonância cognitiva". Em vez de aceitarmos que estamos errados, geralmente insistimos que estamos certos. Para nos livrarmos do sentimento desagradável, justificamos nossa posição e questionamos qualquer evidência que a contradiga. Desse modo, concluiu Festinger, é muito difícil mudar a opinião de alguém

UM HOMEM CONVICTO É UM HOMEM DIFÍCIL DE MUDAR.

LEON FESTINGER

nos ENGANANDO?

convicto: "Diga que você discorda de suas ideias, e ele lhe dará as costas. Mostre fatos ou números, e ele questionará suas fontes. Recorra à lógica, e ele não entenderá o que você está querendo dizer". Para testar essa teoria, Festinger e seus colegas encontraram--se com membros de uma seita que afirmavam ter recebido mensagens de alienígenas prevendo o fim do mundo. Na entrevista com Festinger, os membros da seita disseram que tinham certeza de que o mundo acabaria no dia 21 de dezembro daquele ano. O apocalipse não aconteceu, e os psicólogos resolveram entrevistar o grupo uma segunda vez. Em vez de admitirem o equívoco, os membros da seita declararam que o mundo havia sido poupado por causa de sua convicção. Aceitar que eles estavam errados teria causado dissonância cognitiva. Em vez disso, a convicção deles aumentou, e eles chegaram a afirmar que haviam recebido outra mensagem, agradecendo-lhes pela dedicação.

Um grande constrangimento

Festinger observou que os fiéis mais convictos eram aqueles que mais abriam mão de suas coisas pela seita – muitos abandonaram o emprego e venderam a casa –, concluindo que, quanto mais a pessoa dedica tempo e esforço a algo, mais ela procurará defender esse algo. Numa experiência, Festinger passou uma série de tarefas tediosas a voluntários, oferecendo remunerações de US$ 1 a alguns e US$ 20 a outros. Quando lhes perguntaram se a tarefa tinha sido interessante, a maioria dos participantes que receberam US$ 20 disse que não. Os que receberam US$ 1, em contrapartida, disseram que sim, porque precisavam justificar o esforço que fizeram por uma recompensa tão pequena. Numa experiência similar, Elliot Aronson e Judson Mills descobriram que se a tarefa envolver algum nível de constrangimento, a visão do indivíduo também será influenciada. Os dois convidaram algumas alunas para um grupo de discussão sobre psicologia sexual – algo que achavam que seria divertido e interessante. Algumas foram simplesmente aceitas no grupo, enquanto outras deviam passar por um "teste de constrangimento", que consistia em ler, em voz alta, uma lista de palavras obscenas e trechos eróticos de livros específicos – uma tarefa bastante humilhante. Em seguida, todas as participantes ouviram uma gravação chatíssima sobre os hábitos de acasalamento de animais, que, segundo lhes disseram, era o assunto de debate daquele grupo. Quando lhes perguntaram se haviam achado interessante a discussão, as alunas que haviam passado pelo teste de constrangimento, de um modo geral, respondiam que sim, em contraposição às outras.

SE NOS SENTIRMOS TOLOS POR ALGO QUE FIZEMOS, ENCONTRAREMOS UMA FORMA DE JUSTIFICAR NOSSA AÇÃO.

ELIOT ARONSON

LEVITAÇÃO FLORAL

Um grupo de pessoas recebeu a incumbência de tentar fazer um vaso de flores levitar somente com a força do pensamento, sem saber que o vaso estava cheio de ímãs por dentro, o que o faria realmente afastar-se da mesa. Um participante afirmou ter visto fumaça saindo da parte de baixo do vaso, enquanto outro, um professor de ciência, negou que o vaso tenha levitado.

Como compreendemos o **MUNDO?**

TENTAMOS ENCONTRAR PADRÕES NAS COISAS QUE VEMOS...

Lei da similaridade
De um modo geral, agrupamos elementos semelhantes. A imagem acima, portanto, é vista como cinco colunas alternadas de quadrados e círculos, em vez de três linhas com diferentes figuras geométricas.

Lei da proximidade
Costumamos perceber as coisas como um grupo, se elas estiverem próximas. Na figura acima, vemos duas colunas verticais com três círculos cada e duas linhas horizontais de três círculos.

NOSSOS SENTIDOS, PRINCIPALMENTE A VISÃO E A AUDIÇÃO, REÚNEM INFORMAÇÕES VITAIS SOBRE O MUNDO À NOSSA VOLTA, MAS, PARA ESSAS INFORMAÇÕES SEREM ÚTEIS, NOSSA MENTE PRECISA COMPREENDÊ-LAS. ESSE PROCESSO MENTAL DE ORGANIZAR E INTERPRETAR AS INFORMAÇÕES RECEBIDAS PELOS NOSSOS SENTIDOS É CONHECIDO COMO PERCEPÇÃO.

Reconhecendo padrões

Existe uma grande quantidade de informações no que vemos e ouvimos. Nossa mente examina essas informações e procura compreendê-las, selecionando o que é importante por meio de padrões reconhecíveis. Por exemplo, quando vemos um quadrado, nossa mente não vê apenas um conjunto de quatro linhas, mas identifica essa disposição específica de linhas como um quadrado. Da mesma forma, somos capazes de reconhecer uma melodia, em vez de ouvirmos somente as notas isoladas. Um grupo de psicólogos do século XX, liderados por Wolfgang Köhler e Max Wertheimer, foi o primeiro a estudar como nossa mente tenta ver as coisas buscando uma forma reconhecível, ou "essência" – que eles chamaram, em alemão, de *Gestalt*.

O TODO É DIFERENTE DA SOMA DE SUAS PARTES.
WOLFGANG KÖHLER

Seguindo as regras

Os psicólogos da gestalt, como eles ficaram conhecidos, acreditavam que nossa capacidade de interpretar as informações recebidas pelos nossos sentidos e reconhecer

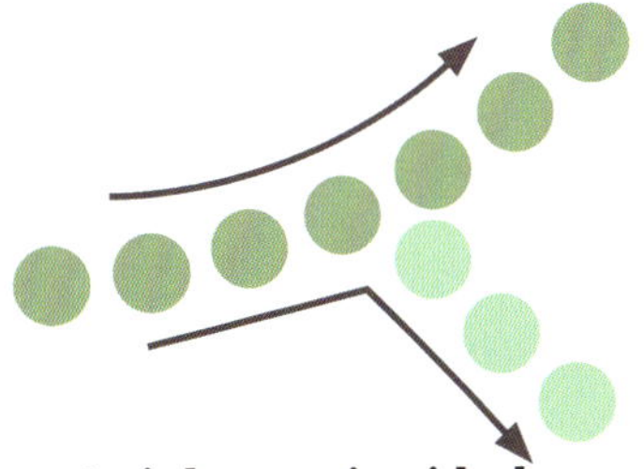

Lei da continuidade
Padrões uniformes e contínuos são mais óbvios para nós do que padrões irregulares ou desconexos. Acima, vemos uma linha curva ascendente, em vez de uma linha com desvio.

Lei de fechamento
Nossa mente fornece a informação que está faltando em formatos incompletos de modo a isolá-los do fundo. A figura acima, portanto, pode ser vista como um triângulo sobre três círculos.

padrões já vem "programada" em nosso cérebro. Segundo eles, nosso cérebro organiza as informações de modo sistemático, buscando padrões reconhecíveis. Nossa percepção – a forma de interpretar informações sensoriais – parece seguir certas "regras", que configuram as "leis de organização perceptual" da gestalt. Uma ideia fundamental na psicologia da gestalt é que dois objetos separados formam algo diferente quando colocados lado a lado de uma determinada maneira, mostrando que nossa percepção inicial de um padrão geral difere de nossa percepção das partes isoladas.

Outra dimensão

Essa capacidade de organizar as informações recebidas e encontrar padrões nos ajuda a distinguir uma coisa da outra. Se

PENSAR CONSISTE EM COMPREENDER AS ESTRUTURAS E PROCEDER DE ACORDO COM O QUE CONHECEMOS.
MAX WERTHEIMER

reconhecermos uma vaca no campo, por exemplo, estamos fazendo uma diferenciação entre a figura da vaca e o fundo. Mesmo olhando para uma foto bidimensional de uma vaca no campo, ainda somos capazes de diferenciar figura e fundo, e conseguimos distinguir o que está próximo do que está distante de nós, pela maneira como as imagens se sobrepõem. Além disso, nossa mente decifra os padrões de perspectiva na foto, formando uma ideia da cena tridimensional que ela representa – quanto menor o objeto, mais distante ele está. A perspectiva também nos ajuda a identificar a direção de movimento das coisas. Se um objeto está crescendo na tela da televisão, nossa mente reconhece que ele está vindo em nossa direção, e, se está diminuindo, sabemos que o objeto está se afastando. Interpretamos o mundo real tridimensional do mesmo modo, usando indicações de figura, fundo e perspectiva para determinar a posição relativa dos objetos – o que é fundamental para nossa vida prática.

Os bebês aprendem a isolar objetos comparando o que seus olhos veem com o que suas mãos sentem.

Veja também: 78–79

ENCONTRE O CACHORRO

À primeira vista, essa imagem parece apenas um monte de manchas pretas sobre um fundo branco. Mas se lhe disserem que esta é uma imagem de um dálmata cheirando o chão, você provavelmente conseguirá diferenciar o padrão de pintinhas negras do cachorro dos pontos negros do fundo.

Não ACREDITE

A visão

Os psicólogos da gestalt mostraram que nossa mente busca padrões reconhecíveis nas informações recebidas pelos nossos sentidos. Algumas vezes, contudo, nossa capacidade de distinguir padrões nos deixa na mão. Não conseguimos enxergar um formato específico ou encontramos um padrão que na verdade não existe. Alguns psicólogos cognitivos, entre eles Jerome Bruner e Roger Shepard, explicaram que isso acontece porque nossa mente, ao organizar as informações sensoriais, compara essas informações com outras experiências que já tivemos. Tentamos encontrar não apenas padrões, mas padrões que conhecemos, ou padrões esperados. Portanto, nossa mente pode chegar a conclusões precipitadas, encontrando algo que acha que reconhece, de maneira equivocada. Um exemplo de como podemos ver formatos e padrões enganosos é quando reconhecemos imagens familiares nos lugares mais inusitados – um rosto na superfície de Marte ou o semblante de Jesus numa torrada, por exemplo. Isso também explica por que algumas pessoas já confundiram nuvens com óvnis.

Conclusões precipitadas

Não se trata apenas de interpretar errado as informações recebidas por nossos sentidos. Às vezes, a informação em si é dúbia também. Os padrões que identificamos nos dão uma ideia sobre a constituição do que estamos observando. Numa figura bidimensional, por exemplo, o tamanho de diferentes elementos e o modo como eles se sobrepõem nos dão a noção de

ANÃO OU GIGANTE?

Nem todas as ilusões de ótica são bidimensionais. Numa sala de Ames, inventada por Adelbert Ames Jr, duas pessoas de tamanho normal parecem completamente fora de proporção – uma parece anã, e a outra, gigante. Para criar a ilusão de ótica, as paredes, o teto e o chão são inclinados, mas, vista de um determinado ângulo, a sala parece um cubo comum.

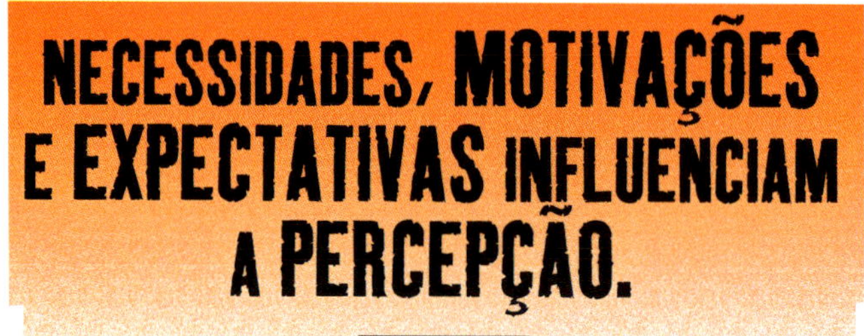

em seus olhos

proximidade e distanciamento. De maneira geral, interpretamos corretamente as noções de perspectiva – a forma como objetos tridimensionais são representados numa imagem bidimensional –, mas às vezes nossa mente se engana. Muitas ilusões de ótica, como as famosas ilusões de Ponzo e Müller-Lyer, utilizam truques de perspectiva que nos levam a tirar conclusões erradas sobre o tamanho dos objetos e a distância entre eles. Outras, como o triângulo impossível de Penrose, dão um nó em nossa mente, pois nossa percepção entra em conflito com a realidade.

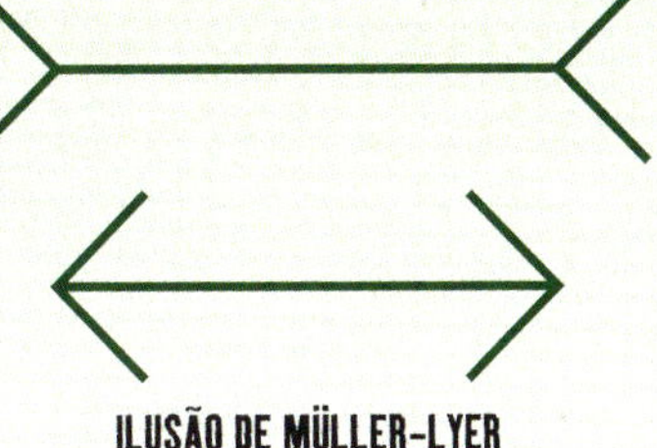

ILUSÃO DE MÜLLER-LYER

Surpreendente
As ilusões de ótica, como o triângulo de Penrose, foram criadas para confundir nossos sentidos. Já nas ilusões de Ponzo e Müller-Lyer, as linhas horizontais (de cor laranja na ilusão de Ponzo) têm o mesmo comprimento.

TRIÂNGULO DE PENROSE

Os antigos gregos não sabiam se as ilusões de ótica eram um "defeito" dos olhos ou da mente.

A PERCEPÇÃO É UMA ALUCINAÇÃO CONTROLADA EXTERNAMENTE.

ROGER SHEPARD

Percepção direta

Se nossa percepção de perspectiva estiver errada, podemos cometer erros de discernimento em situações simples como agarrar uma bola ou virar uma esquina de bicicleta – no caso de um carro em alta velocidade ou um avião, um erro desses pode ser desastroso. Mas alguns psicólogos, sobretudo J. J. Gibson, acreditam que só cometemos esse tipo de erro quando estamos interpretando imagens bidimensionais de um mundo tridimensional. No mundo tridimensional de verdade, percebemos as coisas com base diretamente em nossas informações sensoriais, sem ter que depois interpretá-las, comparando-as com nossa experiência do passado ou com o que esperamos ver. Enquanto os psicólogos anteriores consideravam a percepção como dois processos separados – um processo físico de perceber com os sentidos a identidade de algo e um processo mental de perceber seu significado –, na opinião de Gibson existe apenas um único processo de percepção direta.

ILUSÃO DE PONZO

A psicologia cognitiva NA PRÁTICA

PRESTANDO ATENÇÃO

Não existe essa história de multitarefa. Tentar fazer mais de uma coisa ao mesmo tempo dispersa nossa atenção e piora nosso desempenho. Alguns psicólogos prestaram consultoria sobre o projeto da cabine de pilotagem para que os pilotos não se distraíssem, reduzindo consideravelmente o número de acidentes aéreos.

FARÓIS ACESOS

Deveríamos apagar os faróis em algum momento enquanto estamos dirigindo? As pesquisas revelam que não. Mesmo à luz do dia, os faróis fazem com que os carros fiquem mais visíveis para os outros, reduzindo o número de acidentes.

DE VOLTA AO LOCAL DE APRENDIZADO

Os psicólogos cognitivos descobriram que a chance de lembrarmos de algo é maior se voltarmos ao ambiente de aprendizado. Com base nessa teoria, em alguns hospitais os pacientes fazem exercícios de mobilidade ao som de música, que depois poderão ouvir em casa para lembrar das técnicas que aprenderam.

LEITURA RÁPIDA

Quando lemos um texto, na verdade não olhamos para cada palavra individualmente. Isso se deve à forma como a a mente processa informações. Por exemplo, você reparou na repetição do "a" na última frase? Nosso cérebro geralmente ignora erros assim. Portanto, é sempre bom revisar seu trabalho.

Os psicólogos cognitivos estudam nossos processos mentais, como atenção, memória, percepção e capacidade de tomar decisões. A compreensão dessas habilidades cotidianas levou a melhorias na segurança do tráfego aéreo e rodoviário e no sistema de justiça, ajudando-nos até a lembrar de informações importantes na hora da prova.

TESTEMUNHO NOS TRIBUNAIS

As pesquisas revelam que os relatos de testemunhas oculares podem ser muito duvidosos. Os psicólogos cognitivos costumam ser chamados nos tribunais para examinar a confiabilidade desses relatos. Esse trabalho chegou a criar mudanças nos sistemas jurídicos – em alguns lugares, o júri ouve uma explicação sobre o caráter imperfeito da memória como parte do procedimento.

PARA CONFUNDIR

Na Primeira Guerra Mundial, as Armadas britânica e americana camuflaram seus navios de guerra com intrincados padrões geométricos conhecidos como *razzle dazzle*. Em vez de esconder o navio, o objetivo desse design era distorcer a percepção do inimigo em relação ao tamanho, direção, forma e velocidade do alvo, reduzindo as baixas por ataques de torpedo.

RIMA EM ALTA

Se você quiser que alguém acredite em você, utilize rimas. Os psicólogos compararam versões rimadas de ditados com versões não rimadas e descobriram que as pessoas consideram as versões rimadas mais confiáveis. Isso explica por que os anunciantes geralmente recorrem a slogans rimados para promover seus produtos.

DICAS DE MEMORIZAÇÃO

As pesquisas psicológicas podem nos ajudar até a melhorar nosso método de estudo. Lembramos melhor das coisas se dividirmos as informações em blocos. Divida suas anotações em blocos, com títulos significativos. Outra forma de atiçar a memória é por meio da visualização. Procure usar desenhos e diagramas quando estiver estudando.

O que nos torna **ÚNICOS**?

O que nos torna tão ESPECIAIS?

COMO você é?

Quer dizer que você se acha INTELIGENTE?

Por que somos tão INSTÁVEIS emocionalmente?

O que nos MOTIVA?

A PERSONALIDADE muda?

Está DESANIMADO?

Qual a causa do VÍCIO?

O que é NORMAL?

Você é LOUCO?

Alguém é realmente MAU?

É bom FALAR

Terapia é a RESPOSTA?

Don’t worry, be HAPPY!

A psicologia das diferenças, ou psicologia individual, está voltada para o estudo dos aspectos de nossa constituição psicológica, que variam de pessoa para pessoa. Além de tratar de assuntos como personalidade, inteligência e emoções, essa ramificação da psicologia lida com distúrbios mentais e seus possíveis tratamentos.

O que nos torna

O lugar onde vivemos pode determinar se a natureza ou o aprendizado desempenhará um papel mais importante na definição de quem somos.

TODOS NÓS TEMOS CARACTERÍSTICAS PSICOLÓGICAS ESPECÍFICAS QUE DETERMINAM QUEM SOMOS. AS DIFERENÇAS RELATIVAS A PERSONALIDADE, INTELIGÊNCIA, HABILIDADES E TALENTOS FAZEM COM QUE CADA UM DE NÓS SEJA ÚNICO. MAS DE ONDE VÊM ESSAS CARACTERÍSTICAS? NOSSO CARÁTER É UM TRAÇO CONGÊNITO OU ALGO MOLDADO PELO MUNDO ONDE FOMOS CRIADOS?

NATUREZA É TUDO O QUE UM HOMEM TRAZ AO MUNDO; APRENDIZADO É TODA INFLUÊNCIA QUE ELE SOFRE DEPOIS DO NASCIMENTO.

FRANCIS GALTON

Natureza *versus* aprendizado

Muito antes de a psicologia surgir como disciplina científica, os filósofos já discutiam se os seres humanos nascem com algum conhecimento prévio do mundo ou são "folhas de papel em branco" que aprendem tudo com a experiência. Outra questão que também dividia opiniões era se desenvolvemos características individuais ao longo da vida ou nascemos com determinado caráter. No século XIX, esse debate tornou-se assunto científico, após a publicação de *A origem das espécies*, de Charles Darwin, em 1859, e o trabalho de Gregor Mendel sobre herança genética. Essas obras forneceram provas de que pelo menos algumas características – tanto físicas quanto comportamentais – são herdadas. Ainda assim,

Desenvolvimento do caráter
Os psicólogos discutem se nosso caráter é um traço congênito ou algo influenciado pelo mundo à nossa volta. Muitos acreditam que é uma combinação das duas coisas, como uma árvore, que cresce naturalmente, mas é podada por um jardineiro.

tão ESPECIAIS?

muitas pessoas continuaram acreditando que nosso meio desempenha um importante papel na definição de quem somos. Um primo de Darwin, Francis Galton, foi um dos primeiros a examinar a prova científica, cunhando a expressão "natureza *versus* aprendizado" para descrever os dois lados dessa discussão.

> **COM O NÚMERO CERTO DE DEDOS NAS MÃOS E NOS PÉS, OLHOS E ALGUNS MOVIMENTOS BÁSICOS, NÃO É NECESSÁRIO NENHUM OUTRO ELEMENTO PARA FAZER UM HOMEM, SEJA ELE UM GÊNIO, UM CAVALHEIRO OU UM CRIMINOSO.**
>
> JOHN B. WATSON

Somos geneticamente programados?

Quando a psicologia virou uma ciência, a questão "natureza *versus* aprendizado" dividiu opiniões entre os psicólogos. Na década de 1920, surgiram duas visões muito diferentes sobre a origem de nossas características psicológicas. Do lado da natureza, o psicólogo do desenvolvimento Arnold Gesell dizia que os seres humanos são geneticamente programados e passam por diferentes padrões de desenvolvimento que determinam o seu caráter. Todos nós passamos pela mesma série de mudanças, na mesma ordem, e essas mudanças são, nas palavras de Gesell, "relativamente impermeáveis à influência ambiental". Num processo que ele chamou de "maturação", esses padrões de mudança permitem que nossas habilidades e características herdadas surjam gradualmente, à medida que nos desenvolvemos física, emocional e psicologicamente. Do lado do aprendizado, o psicólogo behaviorista John B. Watson argumentou que não herdamos nenhuma característica psicológica. Em sua opinião, nosso caráter, talentos e temperamento são moldados unicamente pelo meio em que estamos inseridos e, sobretudo, pela nossa formação.

Um pouco de cada

O debate natureza *versus* aprendizado continuou até os dias atuais, e diferentes abordagens da psicologia dão diferentes ênfases à importância da hereditariedade ou do meio. Enquanto a teoria da evolução de Darwin e a genética de Mendel levavam a crer que a natureza desempenhava o papel principal, as teorias do behaviorismo e da psicologia social do início do século XX focavam no aprendizado. Mais tarde, o argumento pendeu de volta para o lado da natureza, com as descobertas da genética moderna e da psicologia biológica, além de um novo campo de estudo, a psicologia evolutiva, inspirado na teoria de Darwin. Pouquíssimos psicólogos hoje em dia, porém, defendem pontos de vista tão extremos como os de Gesell ou Watson. A visão geralmente aceita é a de que tanto a natureza quanto o aprendizado desempenham um papel fundamental na determinação de nossas características, mas os psicólogos ainda não chegaram a um consenso em relação à influência de cada fator em nossa personalidade.

Veja também: 18–19

DUAS VERSÕES

Uma forma de comparar a importância relativa da natureza e do aprendizado é estudar a vida de gêmeos idênticos, principalmente se tiverem sido separados na infância e criados em famílias diferentes. Gêmeos idênticos possuem a mesma constituição genética, de modo que qualquer variação na habilidade, inteligência e personalidade provavelmente é resultado do meio.

COMO você é?

QUANDO FALAMOS A RESPEITO DA PERSONALIDADE DE ALGUÉM, GERALMENTE DESCREVEMOS SUA MANEIRA DE PENSAR E AGIR. POR EXEMPLO, UMA PESSOA PODE SER ANIMADA, TRANQUILA, EXTROVERTIDA, FECHADA, ANSIOSA OU TÍMIDA. A COMBINAÇÃO ESPECÍFICA DESSAS CARACTERÍSTICAS É QUE FORMA NOSSA PERSONALIDADE ÚNICA.

Traços de caráter

Pioneiro no estudo da personalidade, Gordon Allport reparou que toda língua tem um grande número de palavras para descrever aspectos pessoais – que ele chamava de "traços" de personalidade. De acordo com Allport, existem dois tipos básicos de traço de personalidade: traços comuns, que todas as pessoas de uma mesma cultura têm em algum nível, e traços individuais, que variam de pessoa para pessoa. Cada pessoa tem uma combinação única desses traços individuais, e alguns são mais dominantes do que outros. Traços centrais são os que formam nossa personalidade, mas também temos traços secundários, que se manifestam de maneira menos regular em nossos gostos e preferências, e somente em situações específicas. Em algumas pessoas, Allport identificou um traço singular, ou traço cardeal, como brutalidade, cobiça ou ambição, que ofuscava outros aspectos de seu caráter.

À meia-luz, as pessoas costumam ser menos honestas e corretas do que em ambientes iluminados.

PODEMOS DIZER QUE UM HOMEM TEM UM DETERMINADO TRAÇO, MAS NÃO UM DETERMINADO TIPO.

GORDON ALLPORT

Você é introvertido ou extrovertido?

Analisando estatísticas de diferentes personalidades, Hans Eysenck desenvolveu uma teoria voltada para tipos, em vez de traços. Onde Allport identificara um número quase infinito de traços, Eysenck via um espectro de fatores comuns a determinadas personalidades (veja o modelo ao lado). Segundo Eysenck, cada tipo de personalidade pode ser definido com base em duas escalas: se o indivíduo é sociável ou tímido (extrovertido ou introvertido) e se ele é emocionalmente seguro ou inseguro (estável ou neurótico). Mais tarde, Eysenck acrescentou uma terceira escala, o psicoticismo, que mede o tipo de característica encontrado em pessoas com graves distúrbios mentais. Todos os tipos de personalidade, dizia Eysenck, podem ser definidos pelo grau em que apresentam estas três características: extroversão (E), neuroticismo (N) e psicoticismo (P). A maioria das personalidades está entre os extremos dessas escalas, e mesmo um elevado nível de psicoticismo, por exemplo, não implica que a pessoa seja psicótica – somente que possui algumas características encontradas em psicóticos.

Modelo Big Five

A teoria dos tipos de personalidade de Eysenck foi modificada posteriormente por outros psicólogos, Raymond Cattell, entre eles. Segundo Cattell, nossa personalidade não é algo constante e uniforme – agimos de maneiras diferentes em diferentes situações, manifestando aspectos diversos de nossa personalidade. Outros

Quatro tipos
O modelo de personalidade de Hans Eysenck baseia-se em escalas opostas. Cada quadrante contém traços que podem existir num indivíduo desse tipo – por exemplo, um neurótico introvertido estará sujeito ao pessimismo.

Veja também: 88–89, 96–97

psicólogos, como George Kelly, ressaltaram que a ideia que temos de nossa própria personalidade – como interpretamos nossas observações e experiências – deve ser diferente de como os outros nos veem. Kelly batizou essa interpretação única de "constructo pessoal". Na década de 1960, os psicólogos desenvolveram um sistema de tipos de personalidade baseado em cinco fatores (em contraposição aos três de Eysenck). Os tipos do modelo "Big Five" incluem extroversão e neuroticismo, similar à teoria de Eysenck, mas o psicoticismo é substituído por escrupulosidade e afabilidade, e há uma nova categoria conhecida como "abertura à experiência". A maioria dos psicólogos atuais aceitam o modelo "Big Five" como a forma mais prática e confiável de classificar os tipos de personalidade.

PRIMEIRAS IMPRESSÕES

Deve haver alguma verdade na ideia de que podemos descobrir o caráter das pessoas pelo rosto delas. Todos nós julgamos pela aparência, e diferentes indivíduos podem chegar a conclusões semelhantes sobre alguém. Estudos recentes revelaram que as primeiras impressões costumam ser bastante precisas quanto a nossos traços de personalidade – um olhar retraído, por exemplo, pode indicar que a pessoa é introvertida.

GORDON ALLPORT

1897–1967

Considerado por muitos o fundador da psicologia da personalidade, Gordon Allport passou a maior parte da vida profissional na Universidade de Harvard. Nascido em Indiana, EUA, filho de pai médico, mudou-se para Ohio aos seis anos. Estudou filosofia e economia em Harvard e, após um ano em Istambul, Turquia, voltou para concluir o doutorado em psicologia. Allport também estudou na Alemanha e na Inglaterra e deu aulas em Harvard de 1924 até 1967, ano de sua morte.

O CAMINHO DAS PALAVRAS

Allport interessou-se pelo estudo da personalidade desde muito cedo. Em 1921, escreveu um livro com seu irmão mais velho, Floyd Henry Allport (psicólogo social), sobre o conceito de traços de personalidade. Numa pesquisa posterior, Allport e um colega relacionaram 18 mil palavras tiradas do dicionário para descrever as características humanas, organizando-as em categorias para definir diferentes personalidades.

Allport era tímido e solitário na escola, e os meninos implicavam com ele porque só tinha oito dedos nos pés.

DEPENDE DAS CIRCUNSTÂNCIAS

De acordo com Allport, nossa personalidade não é fixa. Embora alguns traços sejam constantes, outros mudam com o tempo, e alguns só aparecem em determinadas situações. Allport deu o exemplo de Robinson Crusoé, que só manifestou certos traços quando encontrou um companheiro de aventuras em sua ilha deserta. "Será que Robinson Crusoé não tinha traços de personalidade antes de conhecer seu futuro amigo Sexta-Feira?"

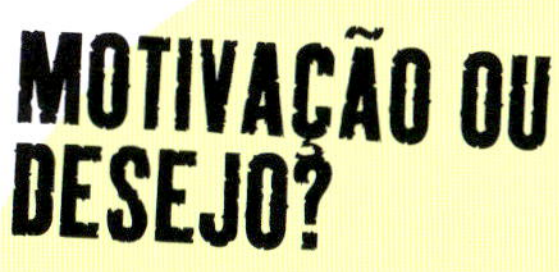

MOTIVAÇÃO OU DESEJO?

Em seu trabalho sobre as razões de nosso comportamento, Allport fez uma diferenciação entre o que chamava de motivações e desejos. A razão original de fazermos algo, a motivação, pode dar lugar a um desejo totalmente diferente da motivação que o originou. Por exemplo, a motivação para alguém entrar na política pode ser melhorar a sociedade e ajudar as pessoas, mas essa motivação pode se transformar em desejo de poder.

> “A **personalidade** é um conceito complexo demais para ser amarrado numa **camisa de força conceitual.**”

BONS VALORES

Segundo Allport, nossos valores na vida estão intimamente relacionados com nossa personalidade. Junto com outros psicólogos, ele realizou um estudo baseado em perguntas de múltipla escolha para verificar os valores das pessoas em seis áreas básicas: teoria, a busca pela verdade; economia, o que consideramos útil; estética, nosso conceito de beleza; vida social, a busca pelo amor dos outros; política, a importância do poder; e religião, a necessidade de unidade e moralidade.

Quer dizer que você se acha **INTELIGENTE?**

DA MESMA FORMA QUE ALGUMAS PESSOAS TÊM JEITO PARA ESPORTES E OUTRAS NÃO, ALGUMAS TÊM HABILIDADES MENTAIS MAIS DESENVOLVIDAS DO QUE OUTRAS. ESSES INDIVÍDUOS SÃO CONSIDERADOS INTELIGENTES, MAS NÃO É FÁCIL DEFINIR A INTELIGÊNCIA OU MEDI-LA. ASSIM COMO EXISTEM MUITOS TIPOS DE HABILIDADES FÍSICAS, TALVEZ HAJA DIFERENTES TIPOS DE INTELIGÊNCIA.

INTRAPESSOAL
INDIVÍDUOS DOTADOS DE CAPACIDADE DE AUTORREFLEXÃO SÃO BONS EM ATIVIDADES COMO ESCREVER, PINTAR OU MANTER UM DIÁRIO.

INTERPESSOAL
ALGUNS INDIVÍDUOS TÊM O DOM DA EMPATIA E DA INTERAÇÃO COM OS OUTROS, DESTACANDO-SE EM ATIVIDADES DE GRUPO.

LÓGICA
A CAPACIDADE DE RACIONALIZAR, ANALISAR PROBLEMAS E EXPLORAR PADRÕES FAZ COM QUE ALGUMAS PESSOAS SEJAM BOAS EM SOLUCIONAR ENIGMAS.

Medindo a inteligência

Um dos primeiros psicólogos a estudar a inteligência, Alfred Binet recebeu a incumbência, por parte do governo francês, de identificar crianças que precisavam de reforço escolar. Junto com seu colega Théodore Simon, Binet criou um teste para medir nossas habilidades mentais, considerado o primeiro teste de medição da inteligência. Desde então, inúmeros testes foram criados com o propósito de medir nosso quociente de inteligência, ou QI. O QI é um número que representa nossa inteligência, mostrando se estamos acima ou abaixo do QI médio, de 100. Alguns psicólogos, porém, questionaram a confiabilidade desses testes. As questões apresentadas neles refletem o conceito de inteligência de quem os concebeu – geralmente habilidades matemáticas e linguísticas. Pessoas com habilidades em outras áreas tiram notas baixas. Os testes de QI também não escapam da influência cultural,

CINÉTICA
OUTRAS PESSOAS SABEM USAR O CORPO – TÊM JEITO PARA ATIVIDADES MANUAIS, ESPORTES E A COMUNICAÇÃO QUE ENVOLVE LINGUAGEM CORPORAL.

LINGUÍSTICA
OUTRAS PESSOAS TÊM JEITO COM AS PALAVRAS – ELAS SE DESTACAM EM ATIVIDADES COMO LER, ESCREVER, FALAR, SOLUCIONAR JOGOS DE PALAVRAS E FAZER APRESENTAÇÕES.

MUSICAL
ALGUMAS PESSOAS TÊM UMA BOA NOÇÃO DE RITMO, MELODIA E HARMONIA, E TALENTO PARA TOCAR INSTRUMENTOS MUSICAIS.

ESPACIAL
INDIVÍDUOS COMO ARTISTAS E DESIGNERS TÊM BOA NOÇÃO DE ESPAÇO E FORMA, PERCEBENDO DETALHES QUE NINGUÉM PERCEBE.

O MALABARISMO DA INTELIGÊNCIA.

sendo baseados nas ideias ocidentais de inteligência. Pessoas de outras culturas, segundo esse critério, terão QI baixo. Como se isso não bastasse, testar e medir a inteligência pode dar a impressão de que a inteligência é uma característica imutável, sem influência do meio. O problema é que essa impressão já foi usada como prova de que algumas raças são geneticamente menos inteligentes do que outras.

Do geral para o particular

Outro problema que surgiu com os testes de inteligência foi: o que exatamente está sendo testado? Algumas pessoas são boas em matemática, outras, em música ou idiomas, mas será que essas habilidades vêm de algum tipo de qualidade geral que podemos chamar de inteligência? E, em caso afirmativo, como testar e medir essa qualidade? No Reino Unido, Charles Spearman descobriu que pessoas que tiravam boas notas em determinados tipos de teste também tinham bons resultados em outros testes. O psicólogo inglês, então, desenvolveu a ideia de que existe uma inteligência geral inata, assim como uma inteligência particular para tarefas específicas. Nos EUA, os psicólogos rejeitaram essa ideia de uma inteligência geral única. Segundo J. P. Guilford, a inteligência é composta por muitos tipos diferentes de habilidade mental, que, combinados, formam 150 categorias distintas de inteligência. Raymond Cattell, por outro lado, aceitou a ideia de inteligência geral de Spearman, acrescentando, porém, que a inteligência consta de duas partes: uma "inteligência fluida" (a capacidade de resolver novos problemas por meio do raciocínio) e uma "inteligência cristalizada" (a capacidade baseada no conhecimento resultante da educação e da experiência).

Múltiplas inteligências

Mais tarde, os psicólogos ampliaram a definição de inteligência, afastando-a ainda mais da ideia de inteligência geral. Robert Sternberg, por exemplo, via a inteligência como a capacidade de processar informações para solucionar problemas. Sternberg identificou três tipos diferentes de inteligência: analítica, a capacidade de responder às questões de um teste tradicional de inteligência; criativa, a capacidade de resolver problemas novos/incomuns e enxergar as coisas de outro ângulo; e prática, a capacidade de aplicar habilidades e conhecimento aos problemas. Howard Gardner desenvolveu a ideia de diferentes tipos de inteligência e afirmou que possuímos "múltiplas inteligências" – cada uma constituindo um sistema único de inteligência numa área específica de habilidade. Inicialmente, a lista continha sete tipos de inteligência (veja ilustração, à esquerda). A medição da inteligência em áreas específicas, embora interligadas, evidencia nossas habilidades particulares e ajuda a acabar com a falsa impressão, resultante da noção de inteligência geral, de que algumas culturas ou raças são mais inteligentes do que outras.

SE EU SEI QUE VOCÊ É MUITO BOM EM MÚSICA, POSSO PREVER COM PRECISÃO QUASE NULA SE VOCÊ SERÁ BOM OU RUIM EM OUTRAS ÁREAS.

HOWARD GARDNER

O tamanho do cérebro não está relacionado com a inteligência. O cérebro de Albert Einstein era mais leve do que a média.

UMA VANTAGEM INICIAL

Em 1968, numa experiência realizada numa região abandonada de Milwaukee, EUA, 40 bebês recém-nascidos foram divididos em dois grupos. O primeiro grupo recebeu educação pré-escolar e alimentação, e as mães dos bebês tiveram treinamento profissional em cuidado infantil. Ao entrar na escola, as crianças do primeiro grupo tinham um QI mais alto do que as crianças do segundo grupo, que não haviam recebido nenhum benefício. Mas quando os benefícios cessaram, os QIs mais altos foram declinando gradualmente, sugerindo que a inteligência é influenciada por nosso meio.

Por que somos tão INST

NOSSAS EXPERIÊNCIAS PODEM NOS DEIXAR FELIZES, TRISTES, ASSUSTADOS OU COM RAIVA. DIFERENTES EMOÇÕES INFLUENCIAM NOSSA MANEIRA DE PENSAR, PODENDO INCITAR ATÉ UMA REAÇÃO FÍSICA. TEMOS POUCO CONTROLE CONSCIENTE SOBRE NOSSAS REAÇÕES EMOCIONAIS, QUE COSTUMAM SER TÃO FORTES QUE É DIFÍCIL ESCONDÊ-LAS OU CONTROLAR NOSSO COMPORTAMENTO.

Veja também: 46–47, 94–95

Emoção à flor da pele

Tradicionalmente, achava-se que aprendíamos as emoções com as pessoas ao nosso redor à medida que crescíamos, e que as respostas emocionais variavam de cultura para cultura. Uma das primeiras pessoas a contestar essa ideia foi Charles Darwin, que afirmou que as reações físicas, como as expressões faciais, e o comportamento estão associados com as mesmas emoções em todas as culturas e raças. Mais tarde, os psicólogos confirmaram essa teoria, mas também descobriram que as emoções são involuntárias – não temos controle consciente sobre elas. O psicólogo holandês Nico Frijda explicou que nossas emoções são reações naturais que nos preparam para lidar com as experiências da vida. Essas respostas involuntárias não são sentidas apenas internamente, mas envolvem reações físicas espontâneas – riso, choro ou enrubescimento do rosto, por exemplo –, expondo nossas emoções. Frijda argumentou, porém, que também temos sentimentos conscientes, resultantes do ato de pensar em nossas emoções. Ao contrário das emoções, podemos controlar esses sentimentos e escondê-los dos outros.

A EMOÇÃO, EM ESSÊNCIA, É UM PROCESSO INCONSCIENTE.

NICO FRIJDA

Uma emoção arrebatadora

O psicólogo Paul Ekman viajou o mundo todo estudando as expressões físicas resultantes das emoções em diferentes culturas. Ekman identificou seis emoções básicas: raiva, aversão, medo, felicidade, tristeza e surpresa. Como Frijda, Ekman observou que essas emoções não são conscientes, tendo início antes mesmo

ÁVEIS emocionalmente?

TODOS NÓS TEMOS SEIS EMOÇÕES BÁSICAS.

Mascarando sentimentos
Paul Ekman identificou seis emoções básicas, comuns a todas as culturas e tão poderosas que é impossível ocultá-las.

> **AS EMOÇÕES SÃO UM TREM DESENFREADO.**
> PAUL EKMAN

de termos consciência delas. Além de serem difíceis de controlar, nossas emoções podem ser fortes a ponto de anular nossos impulsos mais básicos. Por exemplo, mesmo com fome, uma pessoa pode deixar de comer se a comida lhe causar aversão, e a tristeza pode anular o desejo de viver. O psicólogo americano também descobriu que é muito difícil esconder as emoções. Mesmo que tentemos manter uma expressão impassível, alguns sinais – microexpressões – podem revelar nossos verdadeiros sentimentos. Esses são os sinais que os jogadores de pôquer experientes procuram encontrar no rosto de seus adversários.

O que vem primeiro?

Embora a maioria dos psicólogos concorde que as emoções são involuntárias, ainda não se chegou a um consenso em relação a como elas estão ligadas a nossas reações físicas, nossos pensamentos conscientes e nosso comportamento. O senso comum nos diz que uma emoção como o medo vem antes de reações físicas como suor, tremedeira e coração acelerado, e antes de comportamentos como fuga. Mas William James e Carl Lange argumentaram o contrário – se vemos algo assustador, primeiro suamos e trememos, e essa reação física desencadeia o medo. Já Richard Lazarus afirmou que antes da resposta emocional tem de haver algum tipo de avaliação (um processo mental que pode ser automático e inconsciente), enquanto Robert Zajonc declarou que emoções e processos mentais são duas coisas completamente distintas e que as emoções podem vir primeiro.

As mulheres conseguem identificar emoções nos outros com maior precisão e velocidade do que os homens.

SORRIA E SEJA FELIZ

Alguns psicólogos acreditam que nossas expressões faciais influenciam nosso estado de ânimo. Num estudo, os participantes tinham que sorrir ou fechar a cara enquanto liam revistas de história em quadrinhos, achando que estavam participando de uma experiência de avaliação dos músculos faciais. Quando indagados sobre os gibis, aqueles que tinham sorrido acharam as histórias mais divertidas do que os que tinham ficado sérios.

O que nos **MOTIVA?**

Para ter força de vontade, precisamos sair da zona de conforto. É por isso que cedemos à tentação quando cansados.

EXISTEM MUITAS RAZÕES PARA NOS COMPORTARMOS DA MANEIRA QUE NOS COMPORTAMOS. NOSSAS AÇÕES TÊM UM PROPÓSITO, E ALGO NOS IMPELE A REALIZAR ESSE PROPÓSITO. ALGUMAS NECESSIDADES NOSSAS SÃO CLARAS – COMEMOS PORQUE SENTIMOS FOME – E ÀS VEZES FAZEMOS COISAS PELAS RECOMPENSAS QUE ELAS TRAZEM. MAS AS NECESSIDADES E AS RECOMPENSAS QUE NOS MOTIVAM NEM SEMPRE SÃO ÓBVIAS.

Veja também: 26–27, 102–103

Satisfazendo nossos desejos

Precisamos fazer muitas coisas para sobreviver, como respirar, comer, beber, encontrar abrigo e nos proteger do perigo. O cuidado com nosso bem-estar explica grande parte de nosso comportamento, e existem necessidades psicológicas por trás de muitas de nossas ações. Vivenciamos isso como um desejo ou "motivação" de fazer as coisas – a fome, por exemplo, nos motiva a procurar comida e comer. De acordo com o psicólogo Clark Hull, todo comportamento é resultado da tentativa de satisfazer e reduzir a fome e a sede, a necessidade de descanso e atividade e o desejo de reprodução. Outros psicólogos, porém, foram mais longe, afirmando que temos desejos que vão além do mero bem--estar físico. Temos outras necessidades que nos motivam. Precisamos satisfazer nossa necessidade de saúde psicológica e nossa necessidade social de respeito, companheirismo e afeto. É por isso que alguns psicólogos fazem uma distinção entre necessidades físicas e motivações psicológicas que influenciam nosso comportamento.

O QUE UM HOMEM PODE SER, ELE PRECISA SER.

ABRAHAM MASLOW

INCENTIVO OU PUNIÇÃO

Oferecer uma recompensa nem sempre aumenta a motivação. Num determinado estudo, algumas crianças que gostavam de desenhar recebiam recompensas pelos desenhos feitos. Com o tempo, essas crianças passaram a desenhar menos do que as que não recebiam nenhuma recompensa. A explicação é que elas desenhavam por prazer – uma recompensa interna –, não por recompensas externas como dinheiro ou elogio. A recompensa transformou um passatempo prazeroso em trabalho.

Em busca de recompensas

Embora reconheçam os efeitos desses desejos instintivos em nosso comportamento diário, alguns psicólogos também ressaltaram que somos movidos pelo hedonismo – a busca do prazer e a rejeição da dor, uma ideia central na teoria psicanalítica de Sigmund Freud. Os behavioristas, por outro lado, sobretudo B. F. Skinner, acreditavam que nosso comportamento era motivado por algum tipo de recompensa ou fuga do desconforto. Comemos não só para matar a fome, mas porque temos prazer em comer e porque ficar com o estômago vazio causa desconforto físico. A ideia de recompensa ajuda a explicar o que nos motiva a fazer coisas que não estão relacionadas com o bem-estar material. Apesar de ser verdade, por exemplo, que as crianças aprendem muitas coisas brincando, o aprendizado não é o que as motiva – elas brincam porque é divertido. Os adultos também fazem coisas que não têm uma recompensa aparente, tangível, como hobbies e esportes. Algumas atividades – a prática de esportes extremos ou o consumo de álcool, por exemplo – podem até prejudicar nosso bem-estar, mas as pessoas não deixam de realizá-las, por causa do prazer que sentem. Até no trabalho, mesmo que a principal motivação de alguém seja, aparentemente, ganhar dinheiro para pagar contas e comprar comida, o indivíduo pode estar satisfazendo também seu desejo de realização, respeito ou poder.

Uma hierarquia de necessidades

Evidentemente, as necessidades fisiológicas, como comer, beber e respirar, são mais importantes para nós do que a necessidade psicológica de resolver um problema ou a necessidade social de ter companhia. Existem muitos tipos diferentes de necessidade, e, de acordo com Abraham Maslow, elas podem ser classificadas em ordem de importância. A "hierarquia das necessidades" de Maslow costuma ser apresentada em forma de pirâmide, com nossas necessidade físicas básicas na parte de baixo. Depois, temos diversos níveis de necessidade (necessidade de segurança, amor, autoestima), e no topo encontramos as necessidades aparentemente não essenciais de autorrealização (atingir nosso potencial único) e transcendência pessoal (fazer as coisas por um propósito maior).

Segundo Maslow, para vivermos a vida ao máximo, precisamos satisfazer todos os níveis de necessidade.

O caminho para a plenitude
A hierarquia original de Maslow incluía cinco grupos de necessidades, que podem ser vistos como junções essenciais rumo à satisfação completa.

A PERSONALIDADE

E ISSO ME DEIXA COM MUITA RAIVA.

MINHA...

A PARTE DELE PARECE MELHOR QUE A

ENCONTREI MINHA LUZ...

NOSSA PERSONALIDADE SE ADAPTA ÀS SITUAÇÕES QUE ENCONTRAMOS.

QUANDO PENSAMOS EM PERSONALIDADE, COSTUMAMOS PENSAR EM CARACTERÍSTICAS E COMPORTAMENTO. MAS SERÁ QUE NASCEMOS COM UMA PERSONALIDADE ÚNICA QUE VAI SE DESENVOLVENDO E MUDANDO À MEDIDA QUE CRESCEMOS? OU TEMOS DIFERENTES PERSONALIDADES DEPENDENDO DAS CIRCUNSTÂNCIAS?

Veja também: 86–87, 94–95

O desenvolvimento da personalidade

As duas principais teorias de personalidade, a teoria dos tipos, de Hans Eysenck, e a teoria dos traços, de Gordon Allport, apresentam diferentes ideias sobre o caráter congênito da personalidade e a influência do meio. Segundo Eysenck, a personalidade é um fator predominantemente genético – algo com o qual nascemos – e, portanto, fixo e imutável, em grande medida. Allport, por outro lado, dizia que a personalidade muda com o tempo e de acordo com as circunstâncias. Carl Rogers e Abraham Maslow deram um passo além, afirmando que podemos modificar nossa personalidade para realizar nosso potencial de crescimento pessoal. A maioria dos psicólogos de hoje acredita que tanto a genética quanto o meio têm um papel fundamental na conformação de nossa personalidade, que se desenvolve à medida que passamos pelos diversos estágios da vida, como da adolescência à idade adulta.

muda?

Diferentes situações

Essas teorias podem diferir em relação ao que determina a personalidade e a quanto ela pode mudar com o tempo, mas os psicólogos concordam que existe uma predisposição para nos comportarmos de determinada maneira, independentemente da situação em que estamos. O psicólogo americano Walter Mischel contestou essa visão. Segundo ele, os traços de personalidade são um péssimo indicador de comportamento, e não há uma coerência na relação comportamento--circunstância. Mischel afirmou que avaliamos a personalidade de um indivíduo com base não em traços imutáveis, mas em sua maneira de se comportar em diferentes situações. Afinal, inferimos a personalidade das pessoas com base em suas ações, não nas características que elas apresentam. Essa abordagem é conhecida como situacionismo. Por exemplo, um homem pode ser considerado por todos (até por ele mesmo) uma pessoa calma e amável, mesmo diante de tarefas difíceis, como uma prova. Mas, quando tem de falar em público, esse mesmo homem fica nervoso, e em situações competitivas, como eventos esportivos, ele se torna agressivo. Todos esses traços fazem parte de sua personalidade e alguns só aparecem em situações específicas. Nosso comportamento muda de acordo com as mudanças de nossa vida, revelando diferentes aspectos de nossa personalidade. E os traços predominantes de nosso comportamento também mudam com as circunstâncias, manifestando-se como uma mudança de personalidade.

O COMPORTAMENTO SEM UMA ALUSÃO AO MEIO SERIA ABSURDAMENTE CAÓTICO.

WALTER MISCHEL

QUALQUER TEORIA QUE CONSIDERE A PERSONALIDADE COMO ALGO FIXO, ESTÁVEL OU INVARIÁVEL ESTÁ ERRADA.

GORDON ALLPORT

Revelando o comportamento

Nem todos os psicólogos aceitaram a visão subversiva de Mischel em relação às ideias tradicionais de tipos e traços em favor do situacionismo, mas Mischel apresentou provas contundentes de que existe uma interação entre nosso comportamento em diferentes situações e os traços que configuram nossa personalidade. Desde então, o estudo da personalidade sofreu uma mudança. O foco não é mais a utilização da personalidade para prever o comportamento, mas a observação do comportamento como forma de compreender a personalidade.

Nosso cérebro leva menos de um segundo para julgar a beleza, a competência e a agressividade de uma pessoa.

AS TRÊS FACES

Em um famoso caso, mais tarde transformado em filme (*As três faces de Eva*), uma mulher exibia duas personalidades distintas – uma comportada e certinha e outra desvairada e irresponsável –, parecendo ser duas pessoas diferentes. Após tratamento, a paciente desenvolveu uma terceira personalidade, consciente das outras duas e capaz de equilibrar os dois extremos.

Está DESANIMADO?

MAIS CEDO OU MAIS TARDE, TODOS NÓS NOS SENTIMOS DESANIMADOS, GERALMENTE POR ALGO QUE ACONTECEU EM NOSSA VIDA, COMO UMA PERDA OU ATÉ MESMO UM MERO DESAPONTAMENTO, QUE SUPERAMOS COM O TEMPO. ÀS VEZES, PORÉM, A TRISTEZA TOMA CONTA. MAS EXISTE ALGUMA DIFERENÇA ENTRE TRISTEZA E DEPRESSÃO?

Tristeza e depressão

É normal nos sentirmos tristes quando acontece alguma coisa ruim em nossa vida. Mas se a tristeza for desproporcional em relação à sua causa e o desânimo persistir, estamos falando de um distúrbio chamado depressão. A causa da depressão, de um modo geral, não está relacionada a fatores externos, mas a algo interno, como um problema neurológico ou psicológico. O limite entre tristeza e depressão, no entanto, é bastante tênue. O psicólogo Aaron Beck criou um questionário de múltipla escolha, o "Inventário de Depressão de Beck", para medir o grau de infelicidade e negatividade de uma pessoa numa escala que vai de tristeza até depressão profunda. Os psiquiatras também têm uma série de critérios para determinar se o indivíduo apresenta o que eles chamam de transtorno depressivo maior, que inclui sintomas como tristeza constante e perda de interesse em atividades cotidianas.

PESSOAS E COISAS NÃO NOS PERTURBAM. O QUE NOS PERTURBA É ACREDITAR NISSO.

ALBERT ELLIS

Pare de se culpar

Os psiquiatras costumam considerar a depressão como um distúrbio que envolve mudanças no cérebro, tratando-a com medicamentos antidepressivos. Os psicólogos, em contrapartida, afirmam que as causas da depressão são psicológicas, não biológicas. Um dos primeiros psicólogos a declarar isso foi Albert Ellis, em meados do século XX, sustentando que nossa resposta irracional a acontecimentos negativos – mais do que os acontecimentos em si – pode transformar

Quando uma pessoa se sente deprimida, acaba gastando mais, comprando para se sentir melhor.

nossa infelicidade em depressão. Essa ideia foi desenvolvida por Aaron Beck em sua teoria de que a depressão é resultado de uma visão negativa e não realista do mundo. Mais tarde, Martin Seligman deu um nome a esse estado – "desamparo aprendido" –, explicando que os acontecimentos negativos podem nos dar a impressão de que não temos controle sobre o que acontece conosco. Segundo Seligman, nossa interpretação dos acontecimentos negativos, com pensamentos do tipo "sou um idiota", "sempre fracasso nessa área" ou "faço tudo errado", é o que causa o desânimo e a depressão. Culpar a si mesmo também não ajuda em nada. De acordo com a psicóloga Dorothy Rowe, a tristeza se transforma em depressão quando as pessoas se culpam pelas coisas ruins que acontecem em sua vida.

Tristeza é normal

Uma visão mais extrema da depressão é a de que ela não é nenhum distúrbio, mas uma forma mais severa de tristeza. Segundo Rollo May, o sofrimento e a tristeza são partes inevitáveis de nossa vida, atributos intrínsecos ao ser humano. Portanto, em vez de considerá-los como distúrbios ou condições médicas que precisam ser tratados, devemos encarar nossos sentimentos negativos como algo normal e natural. May chegou a afirmar que esses sentimentos constituem uma parte essencial de nosso crescimento e desenvolvimento psicológico.

Veja também: 110–111, 112–113

PARA UMA TRISTEZA NATURAL VIRAR DEPRESSÃO, BASTA VOCÊ SE CULPAR PELO DESASTRE QUE LHE ACONTECEU.

DOROTHY ROWE

Outros psicólogos focaram a questão cultural, argumentando que a depressão é um problema particular do Ocidente, possivelmente por causa da ideia ocidental de que o normal é ser feliz. Essa ideia, porém, talvez não seja realista, levando o indivíduo a se sentir ansioso e culpado por estar infeliz e resultando no que chamamos de depressão.

NÃO FIQUE DEPRIMIDO...

OLHE PARA O LADO BOM DA VIDA!

EM SINTONIA COM AS EMOÇÕES

Pessoas deprimidas podem ter maior habilidade para detectar emoções. Alunos da Queen's University, no Canadá, receberam a tarefa de analisar fotografias de olhos e dizer qual emoção a pessoa retratada estava sentindo. Alunos classificados como deprimidos tiveram resultados muito melhores do que aqueles que não sofriam de depressão, reconhecendo emoções tanto negativas como positivas.

Qual a causa do VÍCIO?

EXISTE UM GRANDE NÚMERO DE DROGAS QUE AFETAM O FUNCIONAMENTO DO CÉREBRO. ESSAS DROGAS PSICOATIVAS COSTUMAM SER UTILIZADAS COMO MEDICAMENTO, MAS MUITAS TAMBÉM SÃO USADAS PELO PRAZER QUE CAUSAM. A MAIORIA DAS PESSOAS CONSOME SUBSTÂNCIAS COMO A CAFEÍNA OCASIONALMENTE, MAS ALGUMAS SE TORNAM VICIADAS E NÃO CONSEGUEM VIVER SEM ELAS.

VOCÊ SABE QUE TEM UM PROBLEMA QUANDO...

NÃO CONSEGUE CUMPRIR COM AS OBRIGAÇÕES DA ESCOLA OU DO TRABALHO: SEU DESEMPENHO É RUIM OU INSATISFATÓRIO.

USA DROGAS MESMO EM SITUAÇÕES DE RISCO, COMO DIRIGINDO.

Alterando a consciência

As drogas psicoativas, ou "recreativas", são substâncias que afetam nossa consciência mudando a forma como os sinais são transmitidos pelo nosso cérebro e sistema nervoso. Essas substâncias podem alterar nosso estado de ânimo e nossa percepção, e esse é um dos principais motivos para seu uso como drogas recreativas. Diferentes tipos de drogas psicoativas afetam a consciência de diferentes formas. Os estimulantes, por exemplo, como a cocaína, deixam o usuário mais alerta e autoconfiante. Os tranquilizantes, em contrapartida, como o álcool, desaceleram a mente e o corpo, trazendo uma sensação de paz. Os opiáceos, entre eles a heroína e a morfina, também trazem uma sensação de tranquilidade e bem-estar, enquanto as drogas alucinógenas como o LSD alteram drasticamente o estado da mente, distorcendo a percepção e os pensamentos.

VÍCIO É UM TERMO ESTIGMATIZADOR CULTURALMENTE CONDICIONADO.

THOMAS SZASZ

Abuso de substâncias

Muitas drogas psicoativas são ilegais, mas algumas, como a cafeína, a nicotina e o álcool, não só são legais na maioria dos lugares, mas também socialmente aceitas. A atitude da sociedade em relação a certas drogas é o que determina nossa visão de vício. O psicólogo Thomas Szasz observou que a palavra "viciado" é apenas um rótulo negativo para usuários de drogas que a sociedade condena. O termo também é utilizado para descrever "vícios comportamentais", como vício em internet ou trabalho. Rotular alguém como viciado sugere que o vício é uma doença, retirando a responsabilidade do usuário. Muitos psicólogos, portanto, preferem falar em termos de abuso e dependência de substâncias. É difícil definir o que é "abuso", mas geralmente, quando o uso de uma substância passa a envolver riscos (não só para o usuário), o caso é considerado como abuso – embora todas as drogas apresentem um elemento de risco, mesmo que tiverem sido usadas só uma vez.

O SUJEITO QUE VIAJA COM DROGAS PODE ESTAR EMBARCANDO NUMA VIAGEM SEM VOLTA.

SUSAN GREENFIELD

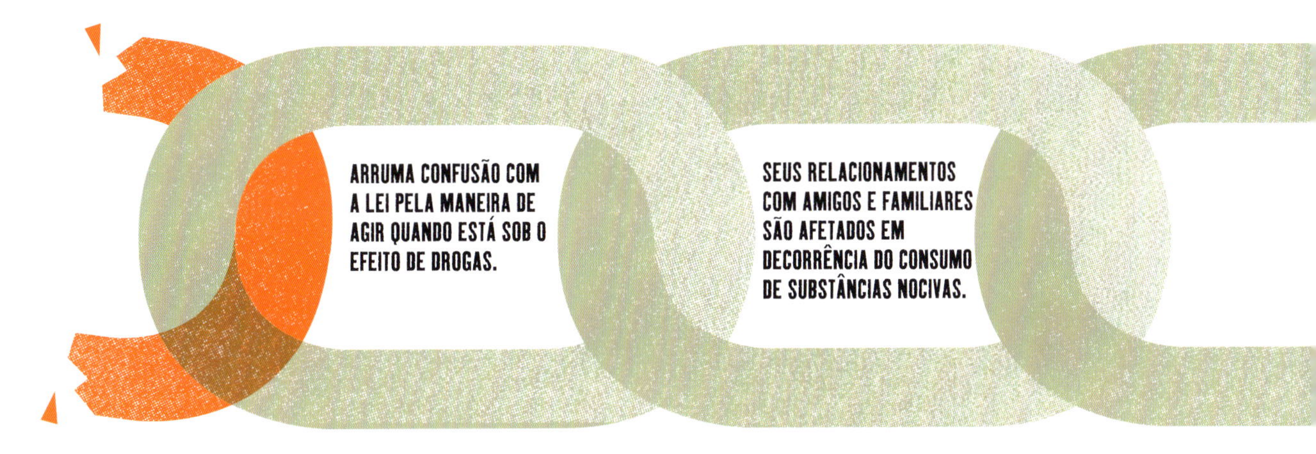

Dependência

O que normalmente se considera vício – não conseguir largar uma determinada substância – é conhecido como dependência, que pode ser física ou psicológica. Usuários regulares de algumas drogas, como nicotina, tornam-se fisicamente dependentes daquela substância e sofrem severos sintomas de abstinência quando decidem abandoná-las – por exemplo, dores de cabeça lancinantes ou náuseas.

Outras drogas não causam o mesmo tipo de dependência física, mas os usuários habituais desenvolvem dependência psicológica, precisando de quantidades cada vez maiores da substância para conseguir os mesmos efeitos. Estudos psicológicos recentes abordavam o vício como uma espécie de doença, mas logo ficou claro que, além dos efeitos físicos das drogas psicoativas, fatores sociais e psicológicos, como influência de amigos e histórico familiar, também contribuem para a dependência de drogas.

RECOMPENSAS ALTERNATIVAS

Até recentemente, achava-se que indivíduos dependentes de drogas prefeririam drogas a comida, mas um estudo realizado em ratos revelou o contrário. Diante de heroína e comida, os ratos dependentes de heroína davam preferência à comida. Isso sugere que talvez seja possível encontrar uma recompensa alternativa para usuários de drogas fisicamente dependentes.

SIGMUND FREUD

1856–1939

Sigmund Freud nasceu em Freiberg, Morávia (atualmente, parte da República Tcheca), mas aos quatro anos mudou-se com a família para Viena, Áustria, onde passou a maior parte da vida. Freud estudou medicina e filosofia em Viena, desenvolvendo mais tarde sua técnica de psicanálise para tratamento de transtornos neuróticos, entre eles depressão e fobias. Seu trabalho teve grande influência na psicoterapia, embora grande parte de suas teorias tenha sido desacreditada desde então.

HIPNOSE E A "CURA PELA FALA"

Após trabalhar como psiquiatra, Freud estudou em Paris com Jean-Martin Charcot, neurologista que utilizava a hipnose para estudar a histeria. Quando voltou para Viena, Freud abriu um consultório particular com seu amigo Josef Breuer, onde estimulavam os pacientes a falar sobre seus problemas em sessões de hipnose, descobrindo que tal prática amenizava os sintomas apresentados. Mais tarde, Freud desenvolveu a técnica de modo que os pacientes pudessem simplesmente falar, sem a necessidade de hipnose – um processo chamado de psicanálise.

A PONTA DO ICEBERG

Freud desenvolveu a teoria de que a mente consciente é como a ponta de um iceberg: existe uma mente inconsciente ainda maior, normalmente escondida de nós, como a parte do iceberg que fica debaixo d'água. Segundo Freud, muitos problemas psicológicos são causados por coisas que reprimimos, mas que ficam guardadas em nosso inconsciente. A forma de tratar os transtornos neuróticos é acessar o que reprimimos por meio da psicanálise.

Freud tinha mais seis irmãos, mas era o filho favorito de sua mãe, que o chamava de "Siggie de Ouro".

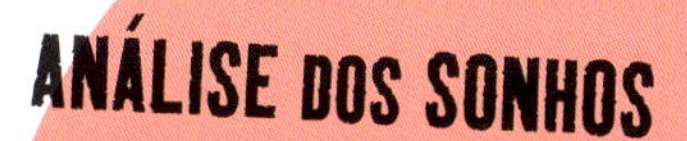

Freud utilizou diversos métodos para ter acesso a pensamentos e sentimentos arraigados no inconsciente de seus pacientes. Durante o desenvolvimento da técnica de cura pela fala, Freud estimulava os pacientes a falar o que lhes viesse à cabeça – processo conhecido como livre associação. Além disso, pedia às pessoas que contassem seus sonhos, porque acreditava que os sonhos eram uma forma de descobrir o que estava acontecendo no inconsciente.

> “A **interpretação** dos sonhos é a estrada real que conduz ao conhecimento das **atividades inconscientes** da mente.”

A FUGA DO NAZISMO

Freud viajou bastante, dando palestras sobre suas teorias psicanalíticas, mas Viena era sua casa. Quando Adolf Hitler assumiu o poder na década de 1930, Freud, por causa de sua ascendência judaica, corria risco de ser perseguido pelos nazistas. Muitos judeus fugiram para a Inglaterra e para os EUA nessa época, mas Freud relutava em sair de Viena. Em 1938, finalmente, ele chegou à conclusão de que era perigoso continuar onde estava e foi para Londres no Expresso do Oriente.

O que é **NORMAL?**

TODO SER HUMANO É ÚNICO. ALÉM DE DIFERENÇAS FÍSICAS, CADA UM DE NÓS TEM CARACTERÍSTICAS PSICOLÓGICAS, COMO PERSONALIDADE E INTELIGÊNCIA, QUE NOS DISTINGUEM. ALGUMAS COISAS, PORÉM, SÃO COMUNS À MAIORIA DE NÓS – COISAS QUE CONSIDERAMOS "NORMAIS".

COSTUMAMOS REJEITAR O QUE É DIFERENTE DA NORMA.

Veja também: 106–107, 112–113

O que é anormal?

Talvez saibamos o que consideramos normal, mas não é fácil definir o que queremos dizer com "normalidade". Um comportamento considerado normal numa cultura pode ser estranho em outra, e cada pessoa tem uma visão própria. Uma forma de definir "normal" é analisar o que consideramos anormal. Pode ser simplesmente um comportamento diferente do comportamento da maioria das pessoas – embora a palavra "anormal" também dê a ideia de algo indesejado ou inaceitável. Pessoas com talentos especiais, por exemplo, não são vistas como anormais, mas excepcionais. Quando dizemos que alguém é anormal, estamos querendo dizer que a pessoa não é como achamos que ela deveria ser. Avaliamos as pessoas pela aparência e por sua condição mental. Todo aquele que não se enquadra em nosso padrão de normalidade tachamos de "anormal". E, como consideramos esses indivíduos diferentes, é comum haver um estigma relacionado aos transtornos mentais.

É UM DEVER DO MÉDICO COMPREENDER A NATUREZA DA INSANIDADE.

EMIL KRAEPELIN

Classificação dos transtornos mentais

Em tempos medievais, o comportamento anormal era atribuído à feitiçaria, mas, com o avanço da ciência, passou a ser considerado uma doença. A psiquiatria surgiu no século XIX como uma ramificação da medicina para tratar de doenças mentais (embora os psicólogos modernos prefiram o termo "transtorno mental". Um dos pioneiros da psiquiatria, Emil Kraepelin acreditava que as doenças mentais

Encontrando um defeito
Reconhecemos a normalidade em muitos aspectos do dia a dia, evitando o que consideramos "anormal". Até na hora de comprar cenoura, escolhemos as que têm um formato mais "de cenoura".

NO PASSADO, OS HOMENS CRIAVAM BRUXAS. AGORA ELES CRIAM PACIENTES MENTAIS.

THOMAS SZASZ

tinham causas físicas, como qualquer outra doença. Ele identificou dois tipos de doença mental: a psicose maníaco-depressiva (atualmente conhecida como transtorno bipolar), causada por fatores externos e, portanto, curável; e a demência precoce (hoje conhecida como esquizofrenia), causada por problemas físicos no cérebro, incuráveis. Essa classificação foi a primeira do tipo, servindo de base para os sistemas atuais de classificação de transtornos mentais, como a Classificação Estatística Internacional de Doenças e Problemas Relacionados com a Saúde (CID), da Organização Mundial da Saúde, e o Manual Diagnóstico e Estatístico de Transtornos Mentais (DSM), da Associação Americana de Psiquiatria. Os dois sistemas apresentam uma lista de transtornos, como doenças ou lesões cerebrais, esquizofrenia, transtornos referentes a abuso de drogas, transtornos de humor, transtornos de ansiedade, transtornos de personalidade e comportamento e transtornos de sono e alimentação.

Problemas no viver

Nem todos os psicólogos consideram os chamados comportamentos "anormais" como problemas médicos que requerem tratamento. Segundo Thomas Szasz, por exemplo, a menos que haja uma causa física como uma lesão cerebral, os transtornos mentais não devem ser considerados doenças, mas "problemas no viver" – resultantes de situações cotidianas, como o fim de um relacionamento ou a morte de um parente. Na visão de Szasz, muitos dos problemas que os psiquiatras descrevem como transtorno mental, incluindo depressão e ansiedade, são, na verdade, parte da vida humana. Embora seja uma visão extrema, a maioria dos psiquiatras e psicólogos reconhece que existe uma diferença entre transtorno mental – aquele com uma causa física – e transtorno funcional – que Szasz descreveu como "problema no viver".

Na Idade Média, pessoas que se comportavam de maneira estranha eram vistas como possuídas pelo demônio.

Você é **LOUCO?**

O TERMO INSANIDADE, OU LOUCURA, FOI UTILIZADO COM FREQUÊNCIA PARA DESCREVER COMPORTAMENTOS QUE CONSIDERAMOS "ANORMAIS". HOJE EM DIA SABEMOS QUE ESSE RÓTULO, ALÉM DE SER POUCO ÚTIL E ESTIGMATIZADOR, NÃO POSSUI BASE CIENTÍFICA. O QUE TRADICIONALMENTE ERA CONSIDERADO INSANIDADE AGORA É CLASSIFICADO COMO TRANSTORNO MENTAL OU COMPORTAMENTO IMPREVISÍVEL.

Loucura ou doença?

Em grande parte da história, as pessoas que apresentavam comportamentos estranhos eram tachadas de "insanas" ou "loucas", diferenciando-se dos indivíduos "normais". No século XIX, porém, essa atitude mudou, e a nova ciência da psiquiatria começou a considerar esse comportamento "insano" como um sinal de doença ou transtorno mental. Os psiquiatras observaram também que não havia apenas um tipo de "loucura", mas uma variedade de transtornos mentais, com diferentes sintomas e distintos graus de severidade. O comportamento imprevisível ou inesperado passou a ser classificado como psicose, uma anormalidade da mente que em sua forma mais grave é conhecida hoje como esquizofrenia. Os primeiros psiquiatras acreditavam que esse transtorno era causado por problemas físicos no cérebro, uma doença

ALGUMAS SITUAÇÕES PODEM FAZER COM QUE GRANDE PARTE DE NÓS, ADULTOS "NORMAIS", AJA DE MANEIRA MUITO POUCO DESEJÁVEL.

ELLIOT ARONSON

Vivendo no limite
Todos nós fazemos coisas que os outros podem considerar como loucura. Mas pessoas que gostam de paraquedismo, por exemplo, não são loucas. Elas estão simplesmente fazendo algo um pouquinho fora da norma.

incurável, com sintomas identificáveis como paranoia, alucinações, delírios e confusão na fala e no comportamento.

Comportamento louco

Evidentemente, nem todo comportamento anormal é causado por esquizofrenia. Existe uma série de outros problemas mentais, como transtornos de humor (depressão, por exemplo), transtornos de ansiedade e fobias. O reconhecimento desses diferentes transtornos mentais provocou uma mudança de perspectiva: pessoas anteriormente consideradas loucas passaram a ser vistas como pessoas que sofriam de algum tipo de "insanidade". Elliot Aronson aprofundou essa ideia, afirmando que quem faz loucuras não é necessariamente louco. Segundo Aronson, o comportamento que consideramos anormal raramente é causado por algum tipo de transtorno mental, mas por circunstâncias que nos fazem reagir de modo contrário à norma. Diante de uma situação extrema, como um acidente trágico ou um crime, é comum agirmos de maneira aparentemente insana. Portanto, advertiu Aronson, antes de tachar alguém de "louco", "insano" ou "psicótico", é importante compreender os motivos de seu comportamento.

No século XVIII, acreditava--se que banho frio curava insanidades e intoxicações.

Não existe essa história de "louco"

Aronson mostrou que o comportamento anormal nem sempre é indício de um transtorno mental, mas alguns psicólogos foram ainda mais longe, rejeitando totalmente a ideia de doença mental. De acordo com Thomas Szasz, a menos que haja uma causa física (uma doença cerebral, por exemplo), os transtornos mentais são simplesmente reações desmedidas diante das dores da vida, como o luto. Houve quem afirmasse que os transtornos mentais não deveriam ser considerados como problemas que requerem tratamento médico.

Na linha de frente desse "movimento antipsiquiatria" estava R. D. Laing, que dizia que mesmo transtornos como a esquizofrenia não eram doenças, mas formas sociais de rotular indivíduos cujo comportamento não se enquadra nas normas da sociedade. Para Laing, não existe doença mental, e a distinção entre sanidade e insanidade é uma abstração. Embora seja uma visão extrema, Laing influenciou muitos psicólogos, entre eles Richard Bentall, que afirmou que a linha entre doença e saúde mental é muito tênue. Bentall chegou a sustentar que algumas formas de esquizofrenia deveriam ser consideradas transtornos psicológicos, em vez de meras doenças fisiológicas.

A SOCIEDADE VENERA O HOMEM NORMAL... TANTO QUE HOMENS NORMAIS MATARAM CERCA DE 100 MILHÕES DE OUTROS HOMENS NORMAIS, SEUS SEMELHANTES, NOS ÚLTIMOS 50 ANOS.

R. D. LAING

Veja também: 104–105, 112–113

FELICIDADE LOUCA

Em 1992, Richard Bentall disse que a felicidade deveria ser considerada um distúrbio psiquiátrico. Embora irônica, sua declaração possuía uma mensagem profunda. Segundo as estatísticas, ser feliz não é a norma, e a felicidade apresenta sintomas claros de comportamento anormal – como despreocupação e impulsividade –, exatamente como outros transtornos mentais.

Alguém é realme

TODOS NÓS FAZEMOS COISAS ERRADAS DE VEZ EM QUANDO, MAS ALGUMAS PESSOAS SÃO MAIS PROPENSAS A COMETER DELITOS DO QUE OUTRAS. ÀS VEZES, SÃO PEQUENAS CONTRAVENÇÕES, ÀS VEZES, ATOS VIOLENTOS E CRUÉIS, COMETIDOS COM REGULARIDADE. ESSES CRIMES COSTUMAM SER ASSOCIADOS AO "MAL", E SEUS PERPETRADORES SÃO VISTOS COMO PESSOAS MÁS OU PSICOPATAS.

> OS PSICOPATAS MOSTRAM UMA **FRIEZA** IMPRESSIONANTE EM RELAÇÃO ÀS **CONSEQUÊNCIAS** DE SUAS AÇÕES SOBRE OS OUTROS, POR MAIS **TERRÍVEIS** QUE ELAS SEJAM.
>
> ROBERT D. HARE

Veja também: 112-113, 122-123

Ações más

Que ações podem fazer com que uma pessoa seja "má"? A sociedade define o que considera "mau" e chama as ações nesse sentido de crime, mas isso inclui pequenos delitos como roubo, que normalmente não associamos ao mal. Nossa visão de maldade está relacionada a atos mais graves, como assassinato, estupro e agressões. Mas será que é certo tachar esses agressores de "maus"? Pessoas boas também podem causar grandes estragos em circunstâncias extremas, alegando legítima defesa. A questão é que alguns indivíduos cometem crimes violentos e cruéis de maneira sistemática. Em vez de rotulá-los de maus, porém, alguns psicólogos questionam se esses indivíduos escolheram fazer o mal ou nasceram com uma determinada personalidade ou anomalia que os leva nessa direção.

A consciência de culpa faz com que o sujeito queira estar sempre se limpando fisicamente – o chamado "efeito Macbeth".

Transtorno de personalidade

Analisando as estatísticas criminais em termos de idade, sexo, QI e condição social, os psicólogos tentaram identificar os fatores envolvidos no comportamento criminoso habitual, principalmente no caso de crimes graves. Embora a condição social tenha um peso, muitos acreditam que a personalidade é o fator principal. Segundo Robert D. Hare, o comportamento violento é resultado de um transtorno de personalidade, às vezes chamado de psicopatia, mas que ele batizou de transtorno de personalidade antissocial (TPA). Hare encontrou uma série de traços de personalidade comuns em quem tem TPA e criou um teste de psicopatia para identificar o distúrbio. O teste é dividido em duas categorias principais. A primeira identifica traços como egoísmo, logro e ausência de remorso ou culpa, enquanto a

PERFIL CRIMINAL

Uma nova ramificação da psicologia, a psicologia investigativa, fornece informações úteis para a polícia. Uma parte importante da psicologia investigativa é o perfil criminal, que utiliza evidências da cena do crime para traçar a personalidade do criminoso e descobrir a motivação por trás do ato. O objetivo é reduzir o número de suspeitos.

nte MAU?

O lado negro
Segundo alguns psicólogos, as pessoas que cometem atos de maldade possuem um transtorno de personalidade chamado psicopatia. Como os psicopatas não têm nenhum sentimento de empatia em relação aos outros, eles não veem mal algum em machucá-los.

VOCÊ TEM ALGUM TRAÇO DE MALDADE?

segunda identifica elementos de uma vida instável, antissocial, incluindo dependência e exploração dos outros. Pesquisas recentes revelaram que existe uma correlação entre o TPA e alguns tipos de anomalias cerebrais, mas essa correlação não foi comprovada, e fatores ambientais também estão associados ao desenvolvimento do transtorno.

Tratamento e punição

A sociedade, de um modo geral, lida com o crime por meio da punição, mandando os criminosos para a cadeia. Em alguns casos, os criminosos recebem tratamento psicológico, com o objetivo de evitar recidiva. Embora esses métodos possam funcionar para algumas pessoas, indivíduos que apresentam um quadro de TPA não melhoram com a prisão nem com as técnicas de psicoterapia. O tratamento do TPA, aliás, é bastante controverso. Alguns psicólogos acreditam que rotular alguém de psicopata não adianta muito. O teste de Hare também foi criticado, porque alguns indivíduos podem ter pontuações altas por serem irresponsáveis, impulsivos ou frios, mas nem por isso são criminosos. Além disso, nem todo mundo com TPA comete crimes. Alguns se tornam chefes rígidos, ditadores tirânicos ou líderes militares.

É bom FALAR

AO LONGO DA HISTÓRIA, AS PESSOAS SEMPRE PROCURARAM FORMAS DE LIDAR COM PROBLEMAS COMO ANSIEDADE E DEPRESSÃO, QUE SÓ FORAM RECONHECIDOS COMO TRANSTORNOS MENTAIS NO SÉCULO XIX. A PARTIR DESSA ÉPOCA, COM A EVOLUÇÃO DA PSICOTERAPIA, OS PSICÓLOGOS CHEGARAM À CONCLUSÃO DE QUE A COMPREENSÃO DAS CAUSAS DESSES TRANSTORNOS PODIA AJUDAR A AMENIZÁ-LOS.

O HOMEM NÃO DEVERIA SE ESFORÇAR PARA ELIMINAR SEUS COMPLEXOS, MAS DEVERIA ENTRAR EM ACORDO COM ELES.
SIGMUND FREUD

A cura pela fala

O pioneiro dessa forma de tratamento – encontrar a causa dos transtornos mentais pela fala – foi Sigmund Freud. Ele havia trabalhado com Jean-Martin Charcot, neurologista que recorria à hipnose para tratar de pacientes com "histeria" – a maioria mulheres com sinais extremos de angústia. Em seguida, Freud foi trabalhar com o médico Josef Breuer, que hipnotizava seus pacientes e depois lhes perguntava sobre seus sintomas. Um caso, em particular, ficou bastante conhecido – o de uma mulher chamada Anna O. Breuer verificou que, à medida que Anna se lembrava de eventos traumáticos de seu passado, sua condição melhorava. Essa "cura pela fala", como Anna dizia, levou Freud e Breuer à conclusão de que os sintomas da ansiedade e da depressão – comportamento neurótico – podiam ser aliviados se eles deixassem os pacientes falar livremente sobre ideias, memórias e sonhos. Com base nessa conclusão, Freud desenvolveu a teoria de que tentamos esquecer eventos traumáticos e desagradáveis, mas eles não são esquecidos: ficam reprimidos, guardados em nosso inconsciente. Além disso, afirmou Freud, existe um conflito em nossa mente entre o que pensamos conscientemente (a parte da mente que ele chamou de ego), nossos desejos instintivos ou necessidades físicas (a parte inconsciente da mente que ele chamou de id) e nossa "consciência" interna, ou noção de certo e errado (a parte de nosso inconsciente que ele chamou de superego).

Veja também: 102–103

Psicanálise

De acordo com Freud, a análise das memórias e dos conflitos reprimidos no inconsciente permite que os pacientes tenham *insights* sobre seus problemas mentais, superando-os. Essa técnica, chamada de "psicanálise", ganhou rápida popularidade

A filha mais nova de Freud, Anna, também foi uma psicanalista famosa, que desenvolveu suas teorias sobre o inconsciente.

Liberando o inconsciente
Segundo Freud, falar é a melhor cura para transtornos mentais. Ao revelar pensamentos e sonhos ocultos a um terapeuta, o paciente pode liberar memórias reprimidas e aliviar a angústia.

como tratamento de transtornos como depressão e ansiedade. A abordagem de Freud foi bem recebida pelos psicólogos, que introduziram novas ideias à teoria do inconsciente. Alfred Adler, por exemplo, enfatizou as consequências do sentimento de inferioridade (que ele chamou de "complexo de inferioridade") na saúde mental de um indivíduo, enquanto Carl Jung decidiu focar a interpretação de sonhos e símbolos, apresentando o conceito de "inconsciente coletivo", comum a todos nós, além do "inconsciente pessoal", responsável por guardar nossas experiências pessoais.

Mudanças na vida

Muitos psicoterapeutas adotaram os métodos de Freud, mas nem todos concordaram com suas teorias sobre o inconsciente. Alguns as consideraram não científicas, pois se baseavam em especulações, não em evidências concretas. Hans Eysenck chegou a questionar a própria eficácia da psicanálise. Outros, apesar de discordarem de Freud, acreditavam nos benefícios de alguma forma de cura pela fala, mas sentiam que era mais produtivo os pacientes falarem de todos os aspectos da vida, em vez de tentar analisar o inconsciente deles. Uma dessas formas alternativas de psicoterapia, a gestalt-terapia, foi desenvolvida nas décadas de 1940 e 1950 por Fritz e Laura Perls e Paul Goodman. A terapia da gestalt dava maior ênfase ao presente do que ao passado e à formação de um relacionamento com o terapeuta para discutir maneiras de realizar mudanças na vida. Embora a psicoterapia moderna tenha se transformado em algo muito diferente da psicanálise de Freud, a ideia básica de lidar com os problemas por meio da fala continua se desenvolvendo, junto com outros tratamentos para muitos transtornos mentais comuns.

A VERDADE SÓ PODE SER TOLERADA SE DESCOBERTA POR CONTA PRÓPRIA.

FRITZ PERLS

FALAR LIBERA OS PENSAMENTOS INCONSCIENTES...

ATO FALHO

É difícil esconder completamente o que está reprimido em nosso inconsciente. Muitas vezes, as coisas que nos afligem se revelam sem percebermos. Quando falamos, é comum demonstrarmos nossos verdadeiros sentimentos por meio da linguagem corporal. Ou talvez usemos a palavra errada – um erro conhecido como ato falho –, revelando o que realmente estamos pensando.

Terapia é a RESPOSTA?

ALÉM DE TENTAR COMPREENDER A MENTE E NOSSO COMPORTAMENTO, UM DOS OBJETIVOS DA PSICOLOGIA É ENCONTRAR FORMAS DE TRATAR DISTÚRBIOS MENTAIS. A PSICOLOGIA CLÍNICA, RAMIFICAÇÃO DA PSICOLOGIA VOLTADA PARA A SAÚDE MENTAL, INCLUI DIVERSOS TIPOS DE TRATAMENTO, GERALMENTE CONHECIDOS COMO PSICOTERAPIA.

SE UM PROBLEMA FOR GRANDE DEMAIS, DIVIDA-O EM PARTES SOLUCIONÁVEIS.

Uma dose de medicina

Os transtornos mentais eram considerados doenças incuráveis até o surgimento da psiquiatria, uma ramificação da medicina voltada para essa questão. Com os avanços da neurociência, nosso conhecimento do cérebro e do sistema nervoso aumentou, e os médicos passaram a desenvolver diversos tratamentos para modificar o funcionamento cerebral, entre eles: cirurgia, com a retirada física ou isolamento de partes do cérebro; terapia eletroconvulsiva (TEC), em que o cérebro recebe uma corrente elétrica; e drogas, que alteram as conexões químicas do cérebro. Esses métodos foram usados para tratar de distúrbios em que há uma causa física evidente, como uma lesão cerebral, mas os médicos descobriram que eles também amenizam os sintomas de outros transtornos mentais. Atualmente, a cirurgia e a TEC são consideradas tratamentos muito invasivos, sendo utilizadas somente em casos em que outros tratamentos não deram certo, mas drogas como antidepressivos e antipsicóticos são prescritas regularmente para uma série de transtornos mentais. A psiquiatria moderna, contudo, não aposta todas as fichas nesses tratamentos físicos, buscando uma combinação de medicamentos e psicoterapia.

Nos manicômios tradicionais, os doentes mentais viviam em condições terríveis.

CHEGUEI À CONCLUSÃO DE QUE A PSICANÁLISE É UMA TERAPIA COM BASE NA FÉ.

AARON BECK

Abordagem psicológica

A psicoterapia surgiu da ideia de que nem todo transtorno mental é uma doença física. Alguns transtornos mentais são problemas psicológicos, requerendo, portanto, um tratamento psicológico adequado. Sigmund Freud foi um dos pioneiros no uso da terapia para tratar o que ele chamava de neurose, que incluía transtornos como ansiedade e depressão não resultantes de doença ou dano cerebral. A psicanálise, com base na teoria de Freud sobre a mente inconsciente, foi um tratamento alternativo comum para transtornos desse tipo, até os psicólogos começarem a questionar sua eficácia. Entre eles estava Joseph Wolpe, que descobriu que a psicanálise não resolvia os problemas de soldados vítimas de transtorno de estresse pós-traumático. Inspirado pela ideia behaviorista de condicionamento – o aprendizado de uma resposta específica para um estímulo –, Wolpe criou a terapia comportamental, cujo objetivo era mudar a resposta. O terapeuta desempenha um papel mais ativo na terapia comportamental, utilizando técnicas como dessensibilização sistemática (expor gradualmente o paciente ao que lhe causa medo e ansiedade, em condições de relaxamento) e terapia da aversão (condicionar o paciente a associar um comportamento indesejado com algo desagradável). Segundo Wolpe, se o comportamento de um paciente pudesse ser modificado, seus pensamentos e seus sentimentos negativos diminuiriam.

Acabando com pensamentos negativos

Outros psicólogos sentiam que a terapia comportamental também não era a resposta. Influenciados pela psicologia cognitiva – o estudo de como a mente funciona –, afirmaram que, se os pensamentos e os sentimentos do paciente fossem tratados, seu comportamento se corrigiria por si só. Aaron Beck, psicoterapeuta desiludido com a psicanálise, desenvolveu uma terapia cognitiva que ajudava os pacientes a enxergar seus problemas de um outro ângulo, superando a tendência de ver somente o lado negativo das coisas. Beck pedia que avaliassem pensamentos e sentimentos, em vez de serem vítimas de pensamentos negativos "automáticos". Nesse ínterim, Albert Ellis desenvolvia uma forma parecida de terapia cognitiva, a terapia racional emotiva comportamental, cujo objetivo era fazer os pacientes pensar de maneira racional ante as adversidades, em vez de se deixarem afundar em pensamentos negativos irracionais. Tanto Beck quanto Ellis combinaram ideias cognitivas e comportamentais para desenvolver a terapia cognitiva comportamental (TCC), comprovadamente eficaz no tratamento de diversos transtornos mentais. A TCC funciona com base na ideia de que os problemas não são causados pelas situações, mas pela nossa maneira de interpretar essas situações e pela nossa reação a essa interpretação.

A trepanação foi utilizada pela primeira vez no âmbito das doenças mentais na Idade da Pedra. Um buraco era aberto na cabeça do paciente, para libertar espíritos malignos.

Veja também: 98–99, 110–111

A vida está melhorando

A terapia cognitiva comportamental lida com questões atuais, não com o passado do paciente. Avaliando e dividindo os problemas em partes menores, os pacientes conseguem enfrentá-los de maneira mais positiva.

REALIDADE VIRTUAL

A terapia cognitiva comportamental teve resultados excelentes, sobretudo no tratamento de fobias, como medo de aranha ou de avião. No início, os terapeutas pediam que seus pacientes pensassem diferente em relação ao que os assustava, expondo-os gradualmente a seus medos. Com o advento da tecnologia dos computadores, as vítimas de fobias podem enfrentar o objeto de seu medo numa realidade virtual, antes de entrar em contato com a realidade em si.

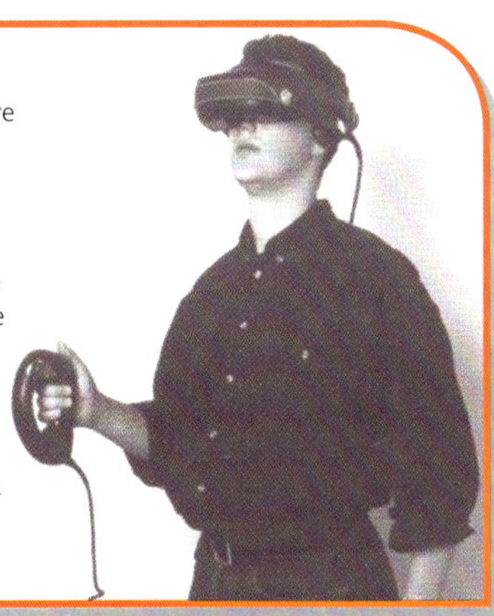

Don't worry, be

GRANDE PARTE DOS ESTUDOS SOBRE DIFERENÇAS PSICOLÓGICAS CONCENTROU-SE EM ANORMALIDADES E TRANSTORNOS MENTAIS. DIVERSOS PSICÓLOGOS DO FINAL DO SÉCULO XX, NO ENTANTO, OPTARAM POR UMA ABORDAGEM MAIS POSITIVA, FOCANDO EM COMO TER UMA VIDA MAIS FELIZ E PLENA.

ENCONTRE SEU FLUXO DE FELICIDADE

A felicidade requer esforço. Além de deixar de fazer tarefas desagradáveis, você precisa ativamente fazer coisas que lhe deem prazer.

Veja também: 98–99, 112–113

Uma vida boa

O afastamento do lado negativo de nossa constituição psicológica veio, a princípio, do mundo da psicoterapia. Alguns psicoterapeutas, utilizando os métodos de psicanálise de Sigmund Freud, começaram a questionar a eficácia do foco nos transtornos mentais, propondo um foco na saúde mental e nas formas de alcançá-la. Abraham Maslow, um dos primeiros a assumir essa perspectiva, dizia que deveríamos parar de olhar para as pessoas como "um pacote de sintomas" e passar a considerar também suas características positivas. De forma análoga, Erich Fromm acreditava que muitos problemas mentais podem ser superados pela descoberta de ideias e habilidades próprias, levando à satisfação na vida. Outro psicoterapeuta influente a adotar essa abordagem foi Carl Rogers. Segundo Rogers, toda terapia deveria focar o indivíduo, para ajudá-lo a conquistar o que ele chamava de "uma vida boa", não só feliz, mas realizada. A saúde mental, em sua visão, não é um estado fixo, mas algo que podemos alcançar num processo de descoberta e crescimento, assumindo responsabilidade pelo que somos e vivendo a vida ao máximo.

O PROCESSO DA VIDA BOA [...] SIGNIFICA QUE SE MERGULHA EM CHEIO NA CORRENTE DA VIDA.

CARL ROGERS

A busca da felicidade

Essa mudança de ênfase, do tratamento de distúrbios mentais para o foco em ajudar as pessoas a ter uma "vida boa", inspirou um movimento que ficou conhecido como "psicologia positiva". Na linha de frente dessa abordagem está Martin Seligman. Para termos

HAPPY!

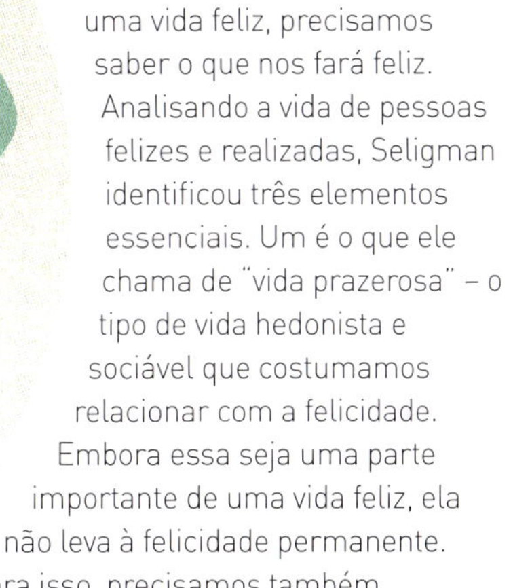

Em seu próprio mundo
Os músicos podem ficar tão envolvidos com sua música que se distanciam do mundo à sua volta, alcançando um estado de intensa felicidade.

uma vida feliz, precisamos saber o que nos fará feliz. Analisando a vida de pessoas felizes e realizadas, Seligman identificou três elementos essenciais. Um é o que ele chama de "vida prazerosa" – o tipo de vida hedonista e sociável que costumamos relacionar com a felicidade. Embora essa seja uma parte importante de uma vida feliz, ela não leva à felicidade permanente. Para isso, precisamos também encontrar recompensas e realizações no que Seligman chamou, como Rogers, de "vida boa" – crescimento pessoal, fazendo coisas que podemos e queremos fazer – e na "vida significativa" – fazer as coisas não para nós mesmos, mas para os outros ou para uma causa maior.

Trabalho gratificante

O psicólogo húngaro Mihály Csíkszentmihályi também estudou a vida de indivíduos felizes e realizados. Segundo ele, embora cada um se sentisse realizado numa área diferente, todos descreveram um sentimento similar quando estavam totalmente envolvidos no que estavam fazendo – uma sensação de atemporalidade, calma, foco, a sensação de estar alheio a si mesmo e ao mundo à sua volta. Esse estado de "fluxo", como Csíkszentmihályi chamou, é semelhante ao estado de transe de um músico tocando um instrumento. Podemos chegar ao estado de fluxo em qualquer área, não só com atividades artísticas como música ou pintura, desde que a atividade não esteja além de nosso potencial e, ao mesmo tempo, represente um desafio. E a sensação de prazer intenso que isso gera pode fazer com que sejam gratificantes e significativos não apenas nossas atividades de lazer, mas também nosso trabalho.

O ÊXTASE É UM PASSO PARA UMA REALIDADE ALTERNATIVA.
MIHÁLY CSÍKSZENTMIHÁLYI

AÇÕES QUE NOS FAZEM SENTIR BEM

Um estudo de 2005 mostrou que ser solícito com os outros aumenta nosso bem-estar. Alguns alunos receberam a missão de realizar cinco atos de bondade todas as semanas, por seis semanas, ou fazendo um ato por dia, ou todos no mesmo dia. Os alunos que realizaram um ato de bondade por dia demonstraram um pequeno aumento no bem-estar, mas aqueles que fizeram os cinco atos no mesmo dia tiveram um aumento de 40% no mesmo quesito.

A psicologia das diferenças NA PRÁTICA

SENTINDO-SE ILUMINADO

Estudos psicológicos demonstraram que tanto a luz do sol como a luz artificial podem ajudar a reduzir os sintomas das depressões de inverno, que incluem cansaço, estresse e infelicidade generalizada. O transtorno, conhecido em inglês como *seasonal affective disorder*, é atribuído à falta de luz natural nos meses do inverno.

CULPA NO CARTÓRIO

As pequenas variações inconscientes de nossas expressões faciais, comumente chamadas de "microexpressões", podem revelar nossas emoções ocultas. Os especialistas prestam atenção nesses sinais para ver se uma pessoa está mentindo – os serviços de segurança, por exemplo, baseiam-se nesse método para detectar terroristas.

VENCENDO O BAIXO-ASTRAL

Estudos revelam que os efeitos dos antidepressivos podem ser intensificados se seu uso for combinado com exercícios regulares. A atividade física libera endorfina – o antidepressivo natural do corpo. Os exercícios também são uma forma saudável de livrar a mente de preocupações – ao contrário de hábitos não saudáveis, como beber.

MENTE ABERTA

Os psicólogos chegaram à conclusão de que manter a mente aberta aumenta naturalmente a sorte. Pessoas flexíveis, abertas às oportunidades da vida, do trabalho e do amor – mesmo que envolvam risco – , geralmente se sentem mais realizadas e otimistas do que as do tipo cauteloso.

Cada um de nós tem personalidades e habilidades muito diferentes, e algumas pessoas sofrem de transtornos psicológicos, como depressão ou esquizofrenia. Ao compreender essas diferenças individuais, os psicólogos podem ajudar a tratar nossos problemas, incentivando-nos a uma vida feliz e realizada.

A ESCOLHA CERTA

Testes de personalidade formulados por psicólogos podem ser úteis para os jovens na hora de escolher uma carreira. Esses testes também são usados em entrevistas de emprego, ajudando os empregadores a selecionar candidatos com o perfil mais apropriado para a vaga oferecida.

VOCÊ PRECISA DISTO

Os anunciantes tentam vender seus produtos associando-os com necessidades humanas básicas, como amor e segurança. Por exemplo, anunciantes de perfume garantem que a pessoa ficará mais atraente para o sexo oposto com aquela fragrância, e companhias de seguro afirmam que são capazes de proteger sua família.

DESFAZENDO HÁBITOS NEGATIVOS

Por que algumas pessoas são viciadas em cigarro? Pesquisas revelam que, embora a maioria queira parar, elas não conseguem, pois associam certas situações, como vida social ou estresse, ao hábito. Se mudarem a situação, será mais fácil largar o vício.

UM CONJUNTO DE TALENTOS

Ao contrário do que se acredita, os psicólogos descobriram que existem diversos tipos de inteligência. Algumas pessoas tiram notas ruins em provas, por exemplo, mas têm excelentes resultados em outras áreas. Agenciadores de apostas são outro exemplo. Eles deixam a escola cedo, mas são capazes de realizar cálculos bastante complexos de cabeça.

Como nos **ADEQUAMOS**?

A psicologia social estuda nossa forma de interagir com outras pessoas, nosso comportamento como parte de um grupo e os efeitos dos outros sobre nós. Além de nossas relações no trabalho, nos momentos de lazer e em nossa vida pessoal, a psicologia social analisa até que ponto nossas atitudes e comportamentos são moldados pela sociedade.

Você seguiria a MAIORIA?

Por que pessoas BOAS fazem coisas MÁS?

Não seja tão EGOÍSTA!

Problemas de POSTURA?

O poder da PERSUASÃO

O que o deixa IRRITADO?

Você faz parte do GRUPO?

As características de uma equipe VENCEDORA

Você consegue BONS RESULTADOS sob PRESSÃO?

MENINOS pensam como MENINAS?

Por que as pessoas se APAIXONAM?

Você seguiria a

NOSSO COMPORTAMENTO É BASTANTE INFLUENCIADO PELAS PESSOAS À NOSSA VOLTA. PERTENCEMOS A DIFERENTES GRUPOS SOCIAIS, COMO O GRUPO DE AMIGOS OU FAMILIARES, ALÉM DE FAZERMOS PARTE DA SOCIEDADE COMO UM TODO. EMBORA GOSTEMOS DE ACREDITAR QUE SOMOS SERES INDIVIDUAIS, SENTIMOS A PRESSÃO PARA ACEITAR AS OPINIÕES DESSES GRUPOS.

O MEMBRO DE UMA TRIBO DE CANIBAIS ACEITA O CANIBALISMO SEM QUESTIONAR.

SOLOMON ASCH

Necessidade de adequação ao grupo

Um aspecto importante da psicologia social é examinar até que ponto nossos pensamentos e comportamentos são influenciados pelos grupos sociais. Diversos estudos demonstraram que temos um desejo natural de nos adequar à opinião do grupo como um todo. Uma das primeiras experiências nesse sentido foi realizada em 1932 por A. Jenness, que pediu para os participantes adivinharem quantos feijões havia numa garrafa. Num primeiro momento, cada participante dava sua resposta individual, e, depois, todos discutiam a questão em grupo, antes de cada participante apresentar sua resposta final. Jenness verificou que todos os participantes modificaram a resposta original para aproximá-la da estimativa do grupo. Numa abordagem diferente, Solomon Asch dividiu os participantes de sua experiência em grupos, infiltrando atores entre eles sem ninguém saber (pessoas que faziam parte da experiência). Os atores cúmplices davam respostas inicialmente certas e, depois, obviamente erradas. Mesmo quando as respostas eram erradas, os participantes seguiram a maioria um terço das vezes, e três quartos deles deram pelo menos uma resposta errada.

A necessidade de adequação ao grupo tem um lado positivo – há indícios de que fumantes costumam parar de fumar juntos.

Sob pressão

Em entrevista após a experiência, os participantes do estudo de Asch relataram que

Seguindo a maioria

Na experiência de Asch, os participantes deviam responder qual linha, A, B ou C, tinha o mesmo comprimento da linha à esquerda do quadro. Muitas pessoas deram a mesma resposta que a maioria, mesmo sabendo que a resposta estava errada.

MAIORIA?

se sentiram constrangidos e ansiosos durante a experiência, temendo não serem aceitos pelo grupo. A maioria contou que discordava dos outros. Alguns acompanharam os outros, mesmo sabendo que eles estavam errados, para não chamar a atenção. E alguns disseram que passaram a acreditar que o grupo estava certo. A partir dessa e de outras experiências similares, os psicólogos conseguiram demonstrar a pressão que sentimos quando estamos em grupo. Precisamos da aceitação e da aprovação dos outros e, mesmo quando discordamos de alguma coisa, tendemos a concordar com a maioria para fazermos parte do grupo. Acontece que também precisamos ter confiança em nossas opiniões e buscamos a confirmação ou a orientação dos outros, o que pode nos levar a duvidar de nós mesmos e mudar nossa visão.

Fiel a seus princípios

Nem todo mundo, porém, cede à pressão real ou imaginária de se adequar. Nas experiências de Asch, muitos não cederam, e em estudos similares, em que os participantes tinham que escrever suas respostas ou responder secretamente, muitos se mantiveram fiéis a suas opiniões. E se um dos atores cúmplices também discordava da resposta errada, mais participantes ganhavam força. A experiência de Asch foi reproduzida em diversas partes do mundo, e os resultados sugerem que a questão da adequação ao grupo varia de cultura para cultura. Nas sociedades coletivistas da Ásia e da África, em que as necessidades do grupo vêm antes das individuais, mais pessoas se adaptam ao todo, em comparação com estudos realizados na sociedade individualista do Ocidente, onde a decisão pessoal é mais valorizada.

REAÇÃO EM CADEIA

A dinâmica dos aplausos também indica nossa necessidade de fazer parte. Cientistas da Suécia descobriram que basta uma ou duas pessoas começarem a bater palmas para todo mundo acompanhar. O mesmo acontece na hora de parar, porque sentimos uma pressão social de seguir os outros. Essa tendência de não querer ficar de fora também explica por que as pessoas acompanham histórias populares ou fazem parte de grupos no Facebook e no Twitter.

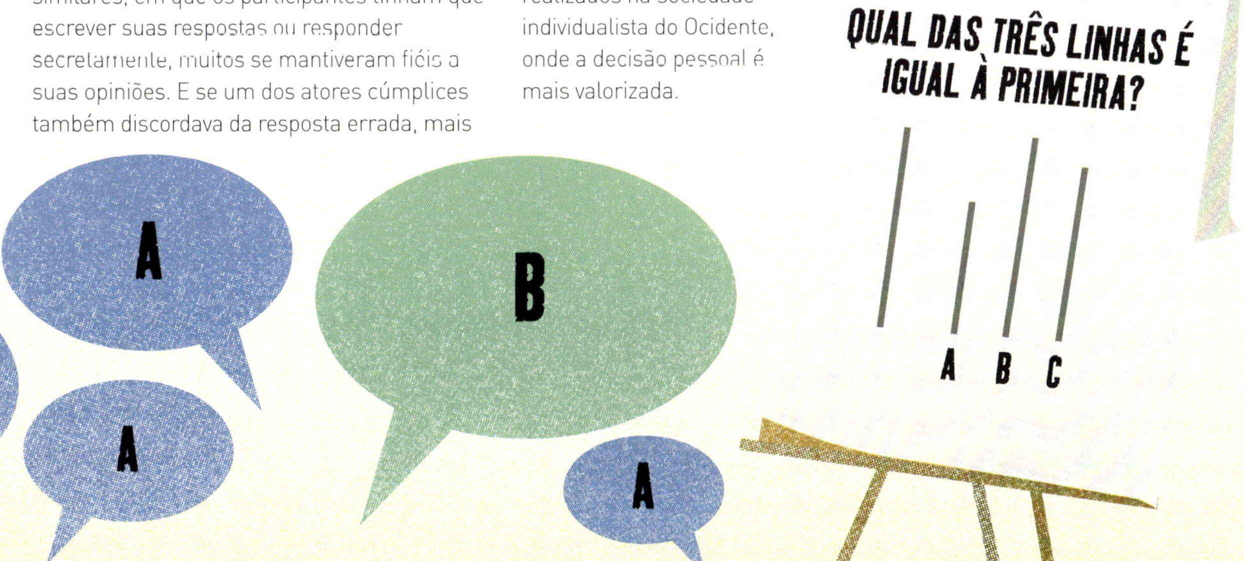

Por que pessoas **BOAS**

OS SERES HUMANOS SÃO CAPAZES DE COMETER TERRÍVEIS ATOS DE VIOLÊNCIA E CRUELDADE – MESMO PESSOAS COMUNS, COM UMA BOA CONDIÇÃO DE VIDA. ESSAS PESSOAS JUSTIFICAM SEUS ATOS CULPANDO AS CIRCUNSTÂNCIAS OU ALEGANDO QUE ESTAVAM APENAS CUMPRINDO ORDENS. OS PSICÓLOGOS RESOLVERAM ESTUDAR POR QUE AS PESSOAS ACABAM FAZENDO ESSAS COISAS.

Uma experiência chocante

Após as atrocidades cometidas pelos nazistas na Segunda Guerra Mundial, os psicólogos começaram a questionar se apenas certos tipos de pessoa eram capazes de fazer coisas tão terríveis ou se, em circunstâncias similares, a maioria de nós faria o mesmo. Duas experiências famosas (e polêmicas) trouxeram conclusões bastante desagradáveis. Na primeira, Stanley Milgram resolveu avaliar até que ponto obedecemos à autoridade. Milgram recrutou homens para participar de um estudo sobre aprendizado, oferecendo US$ 4,50 a cada um. Os participantes foram apresentados a outro participante, o sr. Wallace, que fingia ter problemas cardíacos. O grupo tirou a sorte para definir quem seria o "professor" e quem seria o "aluno" (a coisa foi arranjada de tal modo que um participante real fosse sempre o professor), e todos foram para salas contíguas. O professor, então, tinha de fazer uma série de perguntas ao sr. Wallace, com a instrução, recebida de um "supervisor", de aplicar um choque elétrico de voltagem cada vez mais alta no aluno a cada resposta errada sua (na verdade, não havia corrente elétrica). Se o professor hesitasse, o supervisor lhe pedia para continuar. Os primeiros choques faziam o sr. Wallace resmungar de dor. Com a voltagem mais alta, ele começava a gritar em protesto e, em 315 volts, berrava a plenos pulmões. Acima de 330 volts, silêncio.

É mais provável que obedeçamos figuras de autoridade se elas estiverem de uniforme, sobretudo uniforme policial.

Sob ordens

Milgram verificou que todos os participantes administraram choques acima de 300 volts, e cerca de dois terços chegaram a 450 volts ou mais. Embora mostrassem sinais de aflição, eles sentiam que precisavam obedecer ao supervisor. Milgram explicou que somos criados para respeitar e obedecer figuras de autoridade. Mas podemos decidir não obedecer quando nos pedem para agir contra nossa consciência,

EU SABIA QUE ESTAVA ERRADO...

AS PESSOAS FAZEM O QUE LHES PEDEM PARA FAZER.

STANLEY MILGRAM

fazem coisas **MÁS**?

ou abrir mão da responsabilidade e simplesmente seguir ordens, o que pode levar pessoas boas a realizar atos horripilantes.

Desempenhando um papel

Enquanto a experiência de Milgram estava voltada para a questão da obediência à autoridade, Philip Zimbardo resolveu observar a relação entre as circunstâncias sociais e nossa predisposição a fazer o mal. Em sua famosa experiência, conhecida como a prisão de Stanford, Zimbardo construiu uma prisão cenográfica na Universidade de Stanford, recrutando 24 alunos para encarnarem o papel de "prisioneiro" ou de "guarda". O surpreendente da experiência foi a velocidade com que os participantes se adaptaram ao novo papel – os guardas tornaram-se autoritários e agressivos, e os prisioneiros, passivos. Em entrevista posterior, os guardas contaram que o papel, com a ajuda de uniforme, cassetete e um par de algemas, lhes dera a sensação de poder, enquanto os prisioneiros relataram um sentimento de impotência e humilhação. Zimbardo concluiu que todos nós temos a tendência de nos adequar ao papel que a sociedade espera que desempenhemos, e que as forças sociais têm o poder de fazer qualquer um de nós agir de maneira irreconhecível e má.

MAS, DE QUALQUER MANEIRA, EU FIZ.

Veja também: 28–29, 108–109, 134–135

MUITAS PESSOAS OBSERVARAM O QUE ESTAVA ACONTECENDO E NÃO FALARAM NADA.

PHILIP ZIMBARDO

ORDENS MÉDICAS

Um pesquisador no papel de médico ligou para 22 enfermeiras e pediu-lhes para administrar 20 mg de um determinado medicamento a um paciente, informando que passaria mais tarde para assinar a autorização. Mesmo na falta da autorização escrita e apesar do fato de que a dose máxima recomendada era de 10 mg, 21 enfermeiras obedeceram ao médico e deram o medicamento (placebo). Num outro grupo de enfermeiras em que o assunto em debate era a experiência realizada, todas, menos uma, afirmaram que não teriam dado o medicamento.

Não seja tão

AS PESSOAS SE AJUDAM DE DIVERSAS MANEIRAS, DESDE CEDENDO O LUGAR NO ÔNIBUS ATÉ DOANDO DINHEIRO PARA INSTITUIÇÕES DE CARIDADE. NO ENTANTO, EMBORA ESSES ATOS DE BONDADE APARENTEMENTE SEJAM EM BENEFÍCIO DOS OUTROS, TALVEZ NÃO SEJAM TÃO ABNEGADOS ASSIM. É POSSÍVEL QUE O VERDADEIRO ALTRUÍSMO – AJUDAR OS OUTROS SEM ESPERAR NADA EM TROCA – NÃO EXISTA.

O que é que eu vou ganhar com isso?

Os psicólogos não chegaram a um consenso em relação à existência de um verdadeiro altruísmo. Alguns acreditam que ajudar os outros, sobretudo familiares e pessoas de nosso grupo social, tem a função evolutiva de proteger os membros de nossa espécie. Outros afirmam que qualquer comportamento solidário de nossa parte é, na verdade, egoísta, porque ajudamos para nos sentir bem e para "sair bem na foto"; ver alguém em necessidade pode ser também uma forma simples de reduzir nossas próprias angústias. Daniel Batson, porém, discorda da ideia de que todo comportamento solidário seja egoísta, argumentando que temos emoções empáticas, como compaixão e ternura, que nos levam a um verdadeiro desejo de diminuir a dor das pessoas. Como todos nós temos essa empatia, somos capazes de demonstrar altruísmo.

As pessoas costumam ajudar mais quando estão de bom humor – mas não se isso puder estragar seu dia.

O efeito observador

Um caso brutal de assassinato chamou a atenção dos psicólogos em relação ao comportamento solidário. Em 1964, 38 pessoas testemunharam o assassinato de Kitty Genovese, esfaqueada em Nova York, mas ninguém prestou nenhum auxílio nem chamou a polícia após o ocorrido. O público ficou tão chocado que ninguém interveio, mas psicólogos como Philip Zimbardo explicaram que isso ocorreu justamente porque havia muitas testemunhas. Esse fenômeno ficou conhecido como "efeito observador" – quanto mais observadores houver, menor responsabilidade cada um sente de se envolver. A ideia foi testada em experiências realizadas por John M. Darley e Bibb Latané, que queriam verificar se o tamanho de um grupo influenciava na predisposição das pessoas em ajudar uma pessoa tendo um suposto ataque epiléptico ou informar cheiro de fumaça vindo de uma sala. Quanto maior o grupo, mais tempo demorava para alguém fazer alguma coisa.

SENTIR EMPATIA POR ALGUÉM EM NECESSIDADE NOS DÁ A MOTIVAÇÃO PARA AJUDAR.

DANIEL BATSON

EGOÍSTA!

VOCÊ AJUDARIA ALGUÉM EM DIFICULDADE?

Perdido na multidão
Estudos revelam que as pessoas costumam ajudar menos se elas estiverem em um grupo grande. Mas Daniel Batson argumenta que nossa capacidade de compreender os sentimentos dos outros – nossa empatia – deve contrabalançar essa relutância.

> **QUANDO VÁRIAS PESSOAS TESTEMUNHAM UMA SITUAÇÃO DE EMEGÊNCIA, TODAS ASSUMEM QUE OUTRA VAI AJUDAR.**
>
> PHILIP ZIMBARDO

Prós e contras

Darley e Latané explicaram que os observadores passam por um processo de tomada de decisão no momento em que alguém precisa de ajuda. Antes de intervir, eles precisam passar por cinco estágios: primeiro, perceber o que está acontecendo; segundo, interpretar que precisam de ajuda; e, depois, assumir responsabilidade. Em seguida, escolher uma forma de ajudar e, por último, pôr a ideia em ação. Se o observador vacilar em algum dos estágios, ele não ajudará, o que explica por que a maioria das pessoas não ajuda, ao contrário de algumas, que ajudam. A teoria de Darley e Latané foi aprimorada e passou a incluir elementos das ideias de Batson sobre empatia e ideias sobre o possível custo-benefício de ajudar. O processo de tomada de decisão é descrito em dois estágios. O primeiro é o despertar, uma resposta emocional à dor e necessidade da vítima, seguido de um estágio de custo-benefício, em que o observador avalia os prós e os contras de intervir. Nesse momento pode surgir um dilema, em relação a que tipo de ajuda é necessária e à identidade da vítima. Esse modelo foi respaldado por estudos em que dois pesquisadores fingiam esbarrar-se num metrô de Nova York. Um vinha de bengala, e o outro, com uma garrafa enrolada num saco de papel pardo. Em 90% dos casos, as pessoas ajudaram o pesquisador "incapacitado". O "bêbado" recebeu ajuda só em 20% dos encontrões. Avaliando a situação, os observadores devem ter concluído que o bêbado merecia menos ajuda, e ajudá-lo poderia acabar dando mais trabalho do que estavam dispostos a encarar.

O BOM SAMARITANO

Estudantes receberam a tarefa de dar uma palestra sobre a parábola "O bom samaritano". Ao chegarem, alguns foram informados de que estavam atrasados, outros, que haviam chegado bem na hora, e outros ainda, que haviam chegado cedo. Os estudantes foram direcionados à sala, passando por um homem deitado na entrada, claramente precisando de ajuda. Apenas 10% dos atrasados se ofereceram para ajudar, em comparação com 45% dos que estavam com certa pressa e 63% de quem tinha tempo de sobra. Os alunos com pressa devem ter concluído que não valia a pena chegar atrasado para ajudar.

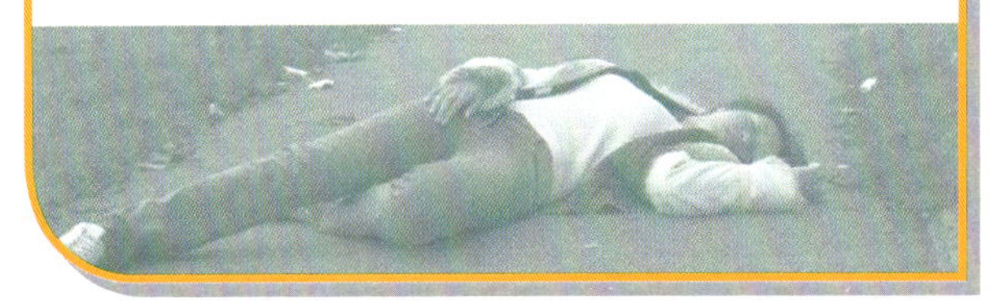

SOLOMON ASCH

1907–1996

Solomon Asch e sua família emigraram de Varsóvia, Polônia, para Nova York em 1920, quando Asch tinha treze anos. Após se formar na área científica, ele concluiu o doutorado em psicologia sob orientação de Max Wertheimer, psicólogo da gestalt. Asch deu continuidade ao trabalho de seu mentor, ministrando aulas de psicologia da gestalt em diversas universidades americanas, e tornou-se um dos pioneiros no campo da psicologia social. Asch ficou famoso por seu estudo sobre conformidade.

PROPAGANDA

Depois da Segunda Guerra Mundial, Asch estudou a propaganda utilizada pelos países em guerra. Muitos psicólogos acreditavam que o poder de persuasão da propaganda dependia, acima de tudo, do prestígio do indivíduo que transmitia a mensagem. Asch discordava, afirmando que as pessoas não aceitavam cegamente uma mensagem só por causa do emissor. Ao contrário, examinavam seu conteúdo e significado à luz de quem estava falando.

CÂMERA ESCONDIDA

Como parte de seu estudo sobre a tendência de adequação dos seres humanos em relação ao grupo, Asch participou do programa de televisão americano *Candid Camera*. Por uma câmera escondida, observamos uma pessoa entrando num elevador lotado. As pessoas do elevador haviam sido orientadas por Asch a virar de costas para a porta assim que o estranho entrasse. Vendo todo mundo se virar, o estranho também resolveu dar as costas para a porta do elevador.

Como quase não falava inglês quando chegou a Nova York, Asch aprendeu o idioma sozinho, lendo Charles Dickens.

A PRIMEIRA IMPRESSÃO

Um dos principais interesses de Asch era entender como formamos nossas opiniões sobre os outros. Num determinado estudo, ele apresentou aos participantes uma lista de características de pessoas hipotéticas, verificando que pequenas diferenças na lista – por exemplo, descrever alguém como "simpático" em vez de "frio", sem nenhuma outra alteração nas características – produziam opiniões completamente diferentes.

“A **mente humana** é um órgão para a **descoberta de verdades,** não de **falsidades.**”

METÁFORAS

Em seu trabalho sobre formação de impressões, Asch ficou fascinado com a linguagem que usamos para descrever características. Utilizamos termos como "frio" e "doce", por exemplo, não só para coisas físicas, mas também para descrever traços de personalidade. Examinando figuras de linguagem de idiomas do mundo inteiro, tanto da atualidade quanto de antigamente, Asch chegou à conclusão de que essas figuras de linguagem refletem nossa forma de tentar compreender as características dos outros.

Problemas de

OS JOVENS SÃO IRRESPONSÁVEIS...

... MAS SE EU QUERO QUE O TRABALHO SEJA REALIZADO, PRECISO TRABALHAR COM ESSE JOVEM.

NOSSA MANEIRA DE VER E ENXERGAR O MUNDO, PRINCIPALMENTE NOSSA POSTURA EM RELAÇÃO A PESSOAS E IDEIAS, COSTUMA BASEAR-SE EM CONVICÇÕES PROFUNDAMENTE ARRAIGADAS, E GERALMENTE DEMONSTRAMOS RELUTÂNCIA EM MUDÁ-LAS – ALGUMAS MAIS DO QUE OUTRAS. A POSTURA INFLUENCIA O COMPORTAMENTO, MAS ÀS VEZES FAZEMOS COISAS SÓ PARA SERMOS ACEITOS, SEM MUDAR O QUE REALMENTE PENSAMOS.

O que é postura?

Postura é a opinião que temos das coisas, de pessoas, ideias e crenças – não somente o que sentimos em relação a elas num determinado momento, mas nosso sentimento em geral. O psicólogo social Daniel Katz explicou que nossa postura em relação a alguma coisa é a combinação de diversos fatores que associamos a ela. Por exemplo, podemos ter a visão de que os jovens são aventureiros e os velhos, cautelosos, mas nossa postura em relação a eles depende de nossa avaliação, se consideramos isso algo positivo ou negativo. As crenças e os valores que formam nossa postura são influenciados por nossa condição social. Costumamos imitar e nos adequar às normas da cultura em que fomos criados e a qualquer grupo, como organizações religiosas ou políticas a que pertencemos. Nossa postura possui diversas funções, segundo Katz. Se for socialmente aceitável, nos ajuda a ganhar aprovação dos outros. Também nos ajuda a fazer julgamentos coerentes, expressar o que pensamos e defender nossa opinião. Por exemplo, estudantes com um mau desempenho num determinado esporte podem desenvolver uma postura negativa em relação a todos os esportes, para se protegerem da humilhação.

As pessoas provavelmente gostarão mais de outras pessoas, coisas e ideias se forem apresentadas a elas durante uma refeição.

Postura e ação

Naturalmente, nossa visão influencia nosso comportamento. Nossa postura em relação à política, por exemplo, influencia nosso comportamento eleitoral, talvez o jornal que lemos e até mesmo os amigos com quem andamos, além de influenciar nossa maneira de interagir com pessoas de diferentes visões. Mas a postura nem sempre é o melhor indicativo de nosso comportamento. Em algumas situações, fazemos coisas contra nossos próprios princípios para ser aceitos ou para não desobedecer a uma figura de autoridade.

Quando nossa postura não é aceita pelas pessoas à nossa volta, surge uma pressão social no sentido de um determinado comportamento, mas isso não significa que nossa postura mudou. Postura não é o que fazemos, mas o que pensamos e sentimos.

POSTURA?

AS PESSOAS MAIS VELHAS SAO CHATAS...

... MAS SE EU QUERO ESSE TRABALHO, PRECISO SER LEGAL COM ESSE CARA VELHO.

Conflito interno
Às vezes, agimos como se nos déssemos bem e respeitássemos uns aos outros, mas isso não significa que sentimos isso internamente.

POSTURAS SÃO UMA COMBINAÇÃO DE CRENÇAS E VALORES.

DANIEL KATZ

Postura arraigada?

Achamos mais fácil ocultar nossas opiniões e fazer coisas para nos adequarmos do que modificar nossa forma de pensar e sentir. A pergunta, então, é: será que alguém muda de postura em algum momento da vida? Formada a partir de crenças e valores construídos ao longo de muito tempo, a postura é algo arraigado, difícil de mudar. E algumas posturas são mais resistentes do que outras, principalmente quando utilizadas para nos proteger de visões contrárias. Levada ao extremo, tal posição conduz ao preconceito e à discriminação de pessoas e ideias, gerando um sentimento de superioridade em nós. Mas como a postura é formada também a partir de contextos sociais, ela pode mudar quando mudamos para diferentes culturas, ou quando a postura de nosso grupo muda – o que acontece com o passar do tempo. Por exemplo, há duzentos anos, a maioria das pessoas aceitava a existência da escravidão, porque era uma postura socialmente aceitável na época. Com a mudança da sociedade, a postura das pessoas também mudou. Atualmente, quase ninguém apoiaria a ideia de trabalho escravo.

PRETO E BRANCO

No sul dos Estados Unidos na década de 1950, o preconceito contra os negros era a norma social, mas, num estudo realizado com mineiros, os psicólogos descobriram que a norma lá embaixo, nas minas, era diferente. Durante o trabalho, 80% dos mineiros brancos mantinham uma boa relação de amizade com os companheiros negros, mas, quando chegavam à superfície, somente 20% deles continuavam a se relacionar com os colegas. Os mineiros brancos adequavam-se a diferentes normas, dependendo do contexto.

O poder da PERSUASÃO

É COMUM AS PESSOAS QUEREREM MUDAR NOSSAS OPINIÕES. NUM NÍVEL PESSOAL, SÃO NOSSOS AMIGOS QUE TENTAM NOS CONVENCER A AGIR OU PENSAR DIFERENTE, MAS EXISTEM TAMBÉM PUBLICITÁRIOS QUERENDO VENDER SEUS PRODUTOS E POLÍTICOS/LÍDERES RELIGIOSOS DESEJANDO CONQUISTAR NOSSA SIMPATIA. POR MAIS DIFERENTES QUE SEJAM, TODOS UTILIZAM AS MESMAS TÉCNICAS DE PERSUASÃO.

Veja também: 74-75

Transmitindo a mensagem

Quando alguém que conhecemos quer que mudemos de opinião, a pessoa apresenta um argumento lógico para justificar seu ponto de vista. Mas esse não é o único fator de persuasão em jogo – também somos influenciados pelo grau de afinidade com a pessoa que quer nos persuadir e pelos possíveis benefícios de mudar de ideia. O mesmo vale para a área de publicidade e qualquer outro contexto público de persuasão. A apresentação de um bom argumento é apenas parte do processo. Para ser aceita, a mensagem precisa ter apelo emocional e lógico e vir de uma fonte confiável. Além disso, só seremos persuadidos se ela for relevante para nós e se nos sentirmos à vontade com a nova ideia – não pode haver conflito de princípios.

Usar o nome de alguém numa conversa aumenta as chances de a pessoa simpatizar conosco e acreditar em nossas palavras.

Truques do ofício

No século XX, os publicitários passaram a usar cada vez mais a psicologia da persuasão para vender seus produtos, à medida que as técnicas de publicidade começaram a refletir a compreensão psicológica de como modificar nossa postura. Após um escândalo que lhe custou o trabalho na universidade, o psicólogo comportamental John B. Watson começou a trabalhar numa agência de publicidade, onde aplicou seu conhecimento de psicologia para vender todo tipo de produto. Os publicitários já sabiam havia muito tempo que apresentar um bom produto não bastava, mas Watson sugeriu novas formas de persuadir os consumidores. A publicidade, para ser eficaz, deveria ter um apelo emocional, dizia Watson, provocando uma resposta que envolva amor, medo ou ira – por exemplo, a propaganda pode levar o consumidor a acreditar que determinado produto o tornará mais atraente para o sexo oposto ou que um

MEDO DO DESCONHECIDO

As pessoas se sentem à vontade com o que conhecem e geralmente se sentem desconfortáveis com ideias novas, principalmente quando contradizem seus valores. Em estudo sobre o assunto, o psicólogo social Robert Zajonc mostrou diferentes símbolos para um grupo aleatório de pessoas, verificando que, quanto mais expostos somos a determinados símbolos, maior a probabilidade de gostarmos desses símbolos. A exposição constante às coisas nos deixa mais à vontade em relação a essas coisas, e nossa postura muda.

produto orgânico é mais confiável e seguro do que alimentos processados. Watson também foi pioneiro no uso de endossos dados por celebridades e médicos a produtos, para aumentar sua credibilidade, e da pesquisa de mercado como método sistemático de avaliar a receptividade das pessoas perante novos produtos.

> O MEDO DE SER UMA VOZ SOLITÁRIA FAZ COM QUE O INDIVÍDUO DESEJE SUBMERGIR NA MULTIDÃO.
> JAMES A. C. BROWN

Manipulação de mentes

Outros profissionais utilizam as mesmas técnicas, não para vender produtos, mas ideias. Grupos políticos ou religiosos, por exemplo, precisam persuadir as pessoas para arrebanhar mais seguidores. O medo pode ser uma ferramenta bastante poderosa de persuasão – em campanhas de saúde, por exemplo, para coibir o hábito de fumar. Mas o medo também pode ser utilizado para promover visões extremas. Num estudo voltado para a propaganda nazista das décadas de 1930 e 1940, James A. C. Brown identificou a maneira como o medo era usado para manipular a mente das pessoas. Jogando com o medo de isolamento, a propaganda limitava as escolhas das pessoas, substituindo argumentos lógicos por um único ponto de vista, apresentado como fato indiscutível, geralmente apontando um "inimigo" estereotipado (no caso dos nazistas, os judeus). Um líder carismático como Adolf Hitler, então, repete a ideia como um slogan envolvente, realizando uma verdadeira "lavagem cerebral" na cabeça das pessoas e doutrinando-as. As mesmas técnicas foram utilizadas por outros regimes tirânicos, e também em seitas religiosas. O poder de persuasão, contudo, pode ser positivo também: na terapia cognitiva comportamental, por exemplo, ele ajuda a modificar posturas não saudáveis que podem gerar consequências psicológicas nocivas ao indivíduo.

O que o deixa **IRR**

A RAIVA É UMA DAS EMOÇÕES HUMANAS MAIS BÁSICAS, QUE TODOS NÓS TEMOS DE VEZ EM QUANDO. ELA PODE VIR DE DENTRO, POR UMA FRUSTRAÇÃO, OU SER DESENCADEADA POR ALGO EXTERNO. COMO NO CASO DE OUTRAS EMOÇÕES, NOSSO CONTROLE SOBRE A RAIVA É LIMITADO – ÀS VEZES, SOMOS TOMADOS PELA RAIVA E ACABAMOS AGINDO DE MANEIRA AGRESSIVA EM RELAÇÃO AOS OUTROS.

A AGRESSIVIDADE É SEMPRE CONSEQUÊNCIA DE UMA FRUSTRAÇÃO [...] E A FRUSTRAÇÃO SEMPRE CONDUZ À AGRESSIVIDADE.

JOHN DOLLARD E NEAL E. MILLER

Raiva interna

À diferença de outros animais, os seres humanos são capazes de controlar a raiva e a agressividade, mas muitos psicólogos acreditam que essas emoções fazem parte de nossa constituição básica. Alguns mais céticos sustentam que somos egoístas por natureza e utilizamos a agressividade para ganhar poder e vantagens. Konrad Lorenz descreveu a agressividade como um instinto com uma função evolutiva – ajudar-nos a proteger nossa família, nossos recursos e nosso território. Sigmund Freud relacionou esse instinto com um impulso de autodestruição – uma raiva interna contra nós mesmos, que reprimimos mas que acaba transbordando, levando-nos a ataques de agressividade contra os outros. Embora a raiva e a agressividade possam ser partes inerentes da natureza humana, Albert Bandura afirmou que nossa maneira de expressá-las – em nosso comportamento agressivo – é algo que aprendemos socialmente. Em sua famosa experiência com um "joão-bobo", Bandura demonstrou que as crianças imitam o comportamento agressivo dos adultos, levando a preocupações quanto à influência de filmes, programas de televisão e jogos de computador violentos na agressividade, sobretudo dos jovens.

Pesquisas revelaram que times esportivos com uniformes pretos cometem mais faltas.

Veja também: 26–27, 92–93

Muito frustrante

Os psicólogos americanos John Dollard e Neal E. Miller também ficaram intrigados com as causas do comportamento agressivo. Segundo eles, ficamos agressivos quando somos impedidos de realizar algo que desejamos. Ao nos sentirmos frustrados com obstáculos, direcionamos nossa agressividade a qualquer coisa que atrapalhe nosso caminho. Às vezes, quando não há ninguém a responsabilizar ou se o problema for por inabilidade própria, nossa agressividade é direcionada a um alvo inocente, chamado bode expiatório. Segundo Dollard e Miller, a frustração sempre leva à agressividade, mas depois eles desenvolveram essa teoria demonstrando que existem graus de frustração:

SÍMBOLO DE VIOLÊNCIA

Num estudo realizado por Leonard Berkowitz, metade dos participantes recebeu choques elétricos, e todos tinham a possibilidade de administrar choques de volta. Algumas pessoas receberam choques numa sala com um revólver em cima da mesa, outras, numa sala com uma raquete de badminton. Como era de esperar, aqueles que receberam choques deram mais choques de volta, mas a maioria dos choques foi dada por quem havia sido exposto à visão da arma.

ITADO?

há mais chance de a agresssividade surgir do nada ou quando a pessoa responsável pela frustração aparentemente está causando problemas sem motivo.

Desencadeadores perigosos

Leonard Berkowitz, ao contrário, sentia que a frustração não explicava totalmente o comportamento agressivo. De acordo com ele, a frustração causa raiva, não agressividade, e a raiva é apenas uma das formas de dor psicológica responsáveis pelo comportamento agressivo. Qualquer forma de dor – seja física ou psicológica – pode provocar agressividade, mas tem de haver um fator externo, um desencadeador, para que a pessoa reaja de modo agressivo (veja o quadro "símbolos de violência", à esquerda). Berkowitz explicou que associamos certas coisas em nossa mente com o

> **O DEDO PUXA O GATILHO, MAS O GATILHO TAMBÉM PODE ESTAR PUXANDO O DEDO.**
> LEONARD BERKOWITZ

comportamento agressivo. A visão de uma arma é um exemplo. Quando deparamos com um revólver, passamos a ter pensamentos e sentimentos agressivos, que podem desencadear um comportamento violento em resposta a esse desconforto.

A ponto de explodir

Ficamos com raiva quando estamos frustrados, mas também quando somos expostos a determinados desencadeadores. Alguns desses desencadeadores são óbvios, como armas, mas também podem ser barulhos altos, cheiros ruins ou temperaturas desagradáveis.

TRÂNSITO
DERROTA NO JOGO
BARULHO IRRITANTE
CHEIRO RUIM
VISÃO DE UMA ARMA
EXPLODIMOS PELOS MAIS VARIADOS MOTIVOS...

STANLEY MILGRAM

1933–1984

Filho de pai judeu húngaro e mãe romena, Stanley Milgram nasceu em Nova York. Excelente aluno, estudou ciências políticas até obter o título de ph.D. em psicologia social pela Universidade de Harvard. Milgram ficou conhecido por suas experiências sobre obediência na época em que ministrava aulas em Yale, na década de 1960. Era professor em Nova York quando faleceu de ataque cardíaco, em 1984.

CRIANDO POLÊMICA

Na experiência mais famosa de Milgram, os participantes foram instruídos a dar choques elétricos nos candidatos que errassem as respostas. Muitos participantes obedeceram às instruções de administrar choques cada vez mais fortes, sugerindo que a maioria das pessoas fará o que lhes disserem. Os choques eram falsos, mas o fato de os participantes não saberem disso criou bastante polêmica.

A CARTA PERDIDA

Numa experiência de estudo do comportamento humano, Milgram e sua equipe resolveram deixar cartas prontas para serem enviadas, com selo e tudo, em locais públicos. As cartas eram endereçadas a diversas organizações, algumas obviamente "boas", como a Associação de Pesquisas Médicas, e outras "más", como os Amigos do Partido Nazista. Milgram avaliou a postura das pessoas em relação a essas organizações pela postagem ou não das correspondências.

A CRIANÇA PERDIDA

Uma criança aparentemente perdida foi enviada às ruas dos EUA numa experiência de Milgram para ver quantas pessoas ofereceriam ajuda. A criança dizia aos que passavam: "Estou perdido. Você pode ligar para a minha casa?". Milgram verificou que as reações variaram de lugar para lugar. Em cidades pequenas, as pessoas foram mais solidárias, e 72% ofereceram ajuda, mas em cidades grandes, muitos ignoraram o pedido, e menos de 50% tentaram ajudar, geralmente desviando da criança.

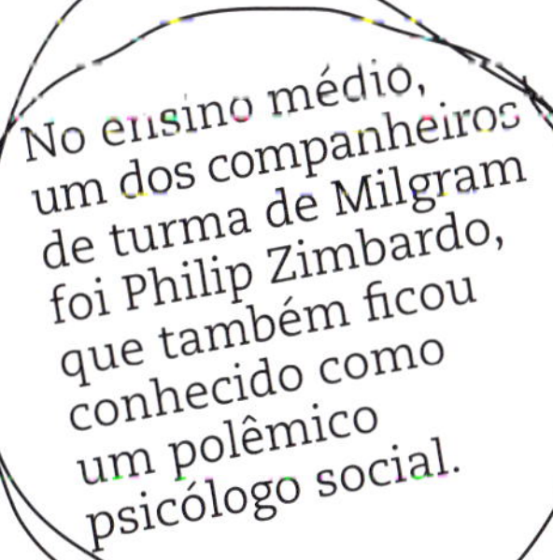

"O **desaparecimento** do senso de responsabilidade é a consequência mais poderosa da submissão à **autoridade.**"

INFLUÊNCIA NEGATIVA?

Num estudo sobre a influência da televisão em nosso comportamento antissocial, Milgram exibiu um episódio do seriado *Medical Center* para diferentes grupos, cada um assistindo a um final distinto. Numa versão, um dos personagens principais rouba dinheiro; em outra, ele dá o dinheiro para uma instituição de caridade. Milgram, então, colocou os participantes em situações semelhantes para observar se eles imitariam as ações do personagem televisivo. O psicólogo americano verificou que a maioria das pessoas, mesmo as que haviam assistido à cena do roubo, não roubou nenhum dinheiro.

Você faz parte

OS SERES HUMANOS SÃO ANIMAIS SOCIAIS QUE SE ORGANIZAM EM GRUPOS PARA FAZER COISAS QUE NÃO CONSEGUEM FAZER SOZINHOS. ALGUNS GRUPOS SÃO FORMADOS QUANDO PESSOAS COM IDEIAS AFINS SE JUNTAM, ENQUANTO OUTROS SÃO FORMADOS POR PESSOAS COM DIFERENTES OPINIÕES. PARA FUNCIONAR DE MANEIRA EFICAZ, PORÉM, OS MEMBROS DE UM GRUPO PRECISAM CHEGAR A UM CONSENSO QUANTO À LINHA DE AÇÃO, AGINDO COMO UM TODO COESO.

A ESSÊNCIA DE UM GRUPO NÃO É A SEMELHANÇA OU A DIFERENÇA ENTRE SEUS MEMBROS, MAS SUA INTERDEPENDÊNCIA.

KURT LEWIN

Trabalho em equipe

Um dos primeiros psicólogos a estudar a organização das pessoas em grupos foi Kurt Lewin, responsável pelo termo "dinâmica de grupo", utilizado para descrever o comportamento e o desenvolvimento de grupos e seus membros individuais. As ideias de Lewin foram influenciadas pelo conceito da psicologia da gestalt de que "o todo é diferente da soma de suas partes", sugerindo que os grupos são capazes de realizar coisas que os indivíduos sozinhos não conseguem. Mas os membros de um grupo podem ter opiniões diferentes, e para trabalhar em equipe, o grupo precisa ter as mesmas metas ou chegar a um consenso quanto ao objetivo a ser alcançado. O consenso dentro de um grupo é algo muito importante, mesmo nas sociedades ocidentais, em que a individualidade é bastante valorizada e contamos com instituições, como júris e comitês, para tomar decisões justas e corretas.

Sozinhos somos mais criativos do que em grupo.

Pensando juntos

Nosso desejo natural de adequação pode ajudar o grupo a ter coesão e desenvolver o "espírito de equipe", mas esse desejo possui um lado negativo também. Segundo o psicólogo social Irving Janis, essa necessidade de adequação ao grupo pode conduzir à perda da individualidade. Os membros do grupo talvez sintam que devem concordar com o que os outros pensam, e é possível que haja um elemento de obediência além da conformidade, isto é, os indivíduos sentem a pressão de aceitar as decisões do grupo. Existe, portanto, o perigo do que William H. Whyte chamou de *groupthink* (identidade de grupo) – quando a pressão por conformidade suplanta o pensamento crítico independente. Além de concordar com as decisões do grupo, seus membros individuais passam a acreditar que essas decisões estão sempre certas, e, às vezes, decisões negativas acabam recebendo aprovação unânime. Outro risco é os indivíduos começarem a achar que seu grupo não erra e é melhor do que os outros, causando conflito entre "grupos internos" e "grupos externos".

Espaço para discordar

Janis identificou os problemas da identidade de grupo, afirmando também que eles podiam ser evitados.

DE ACORDO COM O *GROUPTHINK*, OS VALORES DE UM GRUPO NÃO SÃO APENAS ADEQUADOS, MAS CORRETOS E JUSTOS.

WILLIAM H. WHYTE

do GRUPO?

O PENSAMENTO INDEPENDENTE PODE SER ENGOLIDO PELA MENTALIDADE DO GRUPO.

Peixe grande, peixe pequeno?

Indivíduos parecidos ou com ideias afins têm maior probabilidade de formar grupos. Uma vez dentro do grupo, seus integrantes correm o risco de perder a individualidade, seguindo cegamente a maioria, às vezes com consequências bastante negativas.

Veja também: 76–77, 138–139

O *groupthink* surge geralmente quando o espírito de grupo se torna mais importante do que as opiniões de seus membros individuais, mas também se o grupo for formado por pessoas com ideias afins e estiver diante de uma decisão difícil. Para evitar o *groupthink*, Janis propôs um sistema de organização que incentiva o pensamento independente. O líder do grupo deve parecer imparcial, de modo que seus integrantes não sintam a pressão de obedecer, mas deve fazer com que o grupo analise todas as opções disponíveis, consultando, inclusive, pessoas de fora. A discordância é uma coisa boa, dizia Janis, que encorajava os indivíduos a desempenhar o papel de "advogado do diabo" – introduzindo um ponto de vista alternativo a fim de provocar debate. Além de ajudar o grupo a tomar decisões mais racionais e justas, o espaço para a individualidade dentro do grupo cria um espírito de equipe mais saudável do que o estado de *groupthink*, resultante da conformidade e da obediência.

A MINHA TURMA

Numa experiência realizada na década de 1950, Muzafer Sherif dividiu um grupo de meninos num acampamento em duas equipes. Sem saber da outra equipe, os meninos criaram laços dentro do próprio grupo. Mais tarde, as duas equipes foram apresentadas uma à outra e participaram de uma série de competições. Todos os meninos sentiam que seu grupo era melhor do que o outro, e surgiram sinais de conflito entre as equipes. A maioria dos meninos também declarou que seus melhores amigos eram integrantes de sua própria equipe, embora seus melhores amigos de verdade estivessem na equipe adversária.

As características de uma

SOMOS OBRIGADOS A TRABALHAR EM GRUPO NOS MAIS VARIADOS CONTEXTOS – NEGÓCIOS, POLÍTICA, ESPORTES, MÚSICA, ENTRE OUTROS. OS INTEGRANTES DE UM GRUPO PRECISAM TRABALHAR EM EQUIPE PARA SER EFICAZES, E ISSO SÓ ACONTECE SE O GRUPO FOR ORGANIZADO. NA MAIORIA DAS ORGANIZAÇÕES, EXISTE TAMBÉM A NECESSIDADE DE ALGUMA FORMA DE LIDERANÇA.

Espírito de equipe

Quando um grupo está focado numa tarefa, é importante que seus integrantes trabalhem em equipe, voltados para metas comuns. Kurt Lewin, pioneiro no estudo do comportamento de grupos, mostrou que, para uma equipe ser eficaz, cada pessoa deve se sentir parte do grupo. Se os indivíduos perceberem que seu bem-estar depende do bem-estar do grupo como um todo, eles provavelmente desejarão assumir responsabilidade pelo bem-estar do grupo. Para que todos possam contribuir, os integrantes do grupo precisam ser organizados de acordo com seus pontos fortes e fracos. O psicólogo australiano Elton Mayo descobriu que os trabalhadores da indústria organizavam-se espontaneamente em grupos e uma pessoa surgia como líder, ajudando a promover o "espírito de equipe". Outras hierarquias podem ser mais formais, mas todas são estruturadas de modo que cada membro tenha um lugar no grupo, sob uma liderança que inspire o trabalho em conjunto.

Siga o líder

Mayo também verificou que trabalhar em equipe é uma necessidade social humana e que pertencer a um grupo é mais importante do que qualquer recompensa profissional. Um líder eficaz precisa reconhecer as necessidades sociais dos integrantes de seu grupo e assegurar que cumpram sua função. Com base em Mayo, os psicólogos identificaram três tipos diferentes de necessidade a ser considerados pelos líderes. Primeiro, necessidades de tarefa – as coisas que precisam ser feitas para o trabalho ser realizado. Segundo, necessidades de grupo – o cuidado para que todos colaborem, desfazendo possíveis desavenças. Terceiro, necessidades individuais – o objetivo de cada integrante do grupo. É importante equilibrar essas diferentes necessidades para construir uma equipe cujos membros se sintam envolvidos, comprometidos e orgulhosos de sua organização.

Cerca de dois terços dos trabalhadores dizem que o fator mais estressante do trabalho é o chefe.

QUANDO A AUTORIDADE NÃO FUNCIONAR, NÃO RECORRA À INTENSIDADE, MAS A OUTRO MEIO DE INFLUÊNCIA.

DOUGLAS MCGREGOR

Estilos de gestão

Um líder pode incentivar os integrantes de sua equipe a trabalhar juntos de diferentes formas. Alguns líderes adotam uma abordagem autoritária, dizendo a seus subordinados o que fazer e o que não fazer. Outros, mais

Veja também: 136–137

equipe **VENCEDORA**

democráticos, consultam a equipe, e outros ainda simplesmente deixam seus funcionários livres. A postura do líder em relação à sua equipe determina seu estilo de gestão, segundo o especialista em gestão americano Douglas McGregor. De acordo com McGregor, existem duas teorias de liderança nos negócios: a teoria X e a teoria Y. Na teoria X, o líder parte do princípio de que seus subordinados são preguiçosos, pouco ambiciosos e incapazes de assumir responsabilidades e, por isso, adota um estilo de liderança autoritário. Na teoria Y, em contrapartida, o líder pressupõe que seus funcionários sejam indivíduos motivados, ambiciosos e disciplinados, e, assim, adota um estilo mais participativo. Embora as ideias de McGregor se refiram ao mundo dos negócios, sobretudo à gestão de recursos humanos, esses dois tipos de liderança podem ser encontrados em equipes de todos os contextos.

O EFEITO HAWTHORNE

Na década de 1930, Elton Mayo realizou um estudo com os trabalhadores da fábrica Western Electric Company, em Hawthorne, Chicago, verificando que a produtividade variava de acordo com a iluminação. Com mais luz, a produtividade aumentou. Ao baixar de volta a luz ao nível original, a produtividade aumentou ainda mais. Mayo decidiu, então, intensificar de novo a iluminação da fábrica, observando que a produtividade aumentou ainda mais. A conclusão é que os trabalhadores respondiam não só à iluminação, mas ao fato de que alguém estava interessado no que eles estavam fazendo.

GRANDE PARTE DE NOSSAS ATIVIDADES DE LAZER ENVOLVE ESPORTES E JOGOS COMPETITIVOS, SEJA COMO PARTICIPANTES OU ESPECTADORES. AS PRESSÕES DA COMPETIÇÃO E ESTAR DIANTE DO PÚBLICO PODEM AJUDAR OS ATLETAS A DAR O SEU MELHOR. FAZER PARTE DE UMA EQUIPE TAMBÉM PODE INFLUENCIAR NOSSO DESEMPENHO INDIVIDUAL.

Você consegue BONS RESULTADOS

Veia competitiva

Um dos primeiros psicólogos a estudar a psicologia do esporte foi Norman Triplett, realizando experiências no final do século XIX para verificar a relação entre competições e nosso desempenho. Triplett observou que os ciclistas pedalam mais rápido quando estão competindo contra outros ciclistas, em contraposição a corridas em circuitos por tempo. Para testar se as competições realmente melhoravam o desempenho, o psicólogo realizou uma experiência na qual as crianças deviam enrolar uma linha de pesca o mais rápido possível, sozinhas ou em pares. Triplett constatou que as crianças enrolavam mais linha quando estavam competindo, concluindo que temos um instinto competitivo que nos faz render melhores resultados. Estudos posteriores confirmaram que a rivalidade tem realmente um efeito físico e está associada a mudanças físicas, como aceleração dos batimentos cardíacos e aumento dos níveis de testosterona, que melhoram nosso desempenho.

A alegria que sentimos quando nosso time vence dura mais tempo do que nossa tristeza quando perdemos.

Esporte com espectadores

Outros psicólogos voltados para o estudo dos esportes constataram que os atletas obtinham melhores resultados não só quando estavam em competição, mas também na presença de outras pessoas, fossem outros atletas ou apenas o público. Gordon Allport chamou isso de "efeito ação conjunta" e "efeito audiência", explicando que fazemos melhor as coisas na presença de outros, mas não necessariamente em competição. Robert Zajonc e outros chegaram a uma conclusão diferente. Quando fazemos algo que já dominamos – pode ser uma tarefa simples ou uma atividade que já praticamos, como chutar uma bola no gol –, obtemos melhores resultados quando estamos na presença de outras pessoas. Mas, se for algo difícil, a presença dos outros exerce um efeito contrário. Nesses casos precisamos nos concentrar,

DE MODO GERAL,

CORRIDA DE BARATA

Não são só os seres humanos que são influenciados pelo público. Experiências com baratas em 1969 demonstraram que elas têm mais dificuldade de sair de labirintos quando estão na presença de outras baratas. Na tarefa mais simples de correr em linha reta, porém, elas são mais velozes na presença das companheiras.

sob PRESSÃO?

> **O APRENDIZADO É PREJUDICADO, MAS O DESEMPENHO É FACILITADO PELA PRESENÇA DE ESPECTADORES.**
>
> ROBERT ZAJONC

e a distração com o público acaba afetando nosso desempenho.

Deixar os outros fazer o trabalho

A presença dos outros é, evidentemente, um fator crucial nos esportes e atividades em equipe. Além de nosso desempenho individual, precisamos nos preocupar com o desempenho do grupo, e embora a presença dos outros e o elemento "competição" possam melhorar nossos resultados, existe um lado negativo no trabalho em equipe. Nosso desempenho tende a piorar em grupos maiores – principalmente se for difícil determinar o esforço que cada integrante do grupo está fazendo. Por exemplo, num cabo de guerra, quanto mais pessoas a equipe tiver, menos esforço cada uma fará para vencer. Bibb Latané descreveu esse efeito de depender dos outros para fazer esforço como "vadiagem social".

NÓS NOS SAÍMOS MELHOR QUANDO SOMOS OBSERVADOS...

... MAS SOMENTE SE TIVERMOS PRATICADO...

... E TIVERMOS CUIDADO COM DISTRAÇÕES!

AS COMPETIÇÕES MELHORAM O DESEMPENHO INDIVIDUAL

Sob pressão
De modo geral, nosso desempenho é melhor quando temos público, mas somente se estivermos fazendo algo que dominamos. Caso contrário, a presença de outras pessoas pode atrapalhar e até estragar nossa performance.

VOCÊ ESTÁ PENSANDO

AS DIFERENÇAS FÍSICAS ENTRE HOMENS E MULHERES SÃO EVIDENTES, E ELAS ACABAM INFLUENCIANDO NOSSO DESEMPENHO, DEPENDENDO DA ATIVIDADE. AS DIFERENÇAS PSICOLÓGICAS ENTRE OS SEXOS, PORÉM, NÃO SÃO TÃO EVIDENTES. CASO EXISTAM, SERÁ POR UMA QUESTÃO CULTURAL OU NOSSO CÉREBRO FUNCIONA DE MANEIRA DIFERENTE?

MENINOS pensam

Veja também: 26–27, 84–85, 104–105

Feminilidade forçada

A ascensão do feminismo nas décadas de 1950 e 1960 despertou um interesse nas diferenças psicológicas entre os sexos. De acordo com a filósofa francesa Simone de Beauvoir, apesar de nascermos com um sexo definido, a sociedade nos impõe ideias sobre o que é ser homem ou mulher – e como quase todas as sociedades são dominadas por homens, a feminilidade geralmente está vinculada à fragilidade e à submissão. Muitas feministas concordaram, diferenciando sexo (o que nos faz ser homem ou mulher) e gênero (as diferenças de pensamento e comportamento impostas pela sociedade). O psicólogo do desenvolvimento Albert Bandura confirmou essa ideia, afirmando que meninos e meninas se comportam de maneira diferente porque são tratados de maneira diferente – os estereótipos sexuais são aprendidos socialmente. E a postura da sociedade prevalece ao longo de seu crescimento, de modo que consideramos negativo todo comportamento que destoe do estereótipo vinculado ao gênero. A psicóloga Alice Eagly mostrou que mulheres especialmente competentes são vistas de maneira negativa se demonstrarem suas capacidades de forma tradicionalmente masculina – Margaret Thatcher, por exemplo, ficou conhecida como "A Dama de Ferro" por sua forte liderança no cargo de primeira-ministra britânica na década de 1980.

As partes do cérebro que controlam a agressividade são maiores nas mulheres do que nos homens.

TODA SOCIEDADE HUMANA CONHECIDA TEM REGRAS SOBRE DIFERENCIAÇÃO DE GÊNERO.

ELEANOR E. MACCOBY

Num nível intelectual

Mas será que existe algum motivo por trás desses estereótipos? Será que existe alguma diferença psicológica entre os gêneros?

O QUE EU ESTOU PENSANDO?

Eleanor E. Maccoby dizia que não, explicando que quase todas as ideias tradicionais sobre diferenças de genêro são, na verdade, mitos. Maccoby não encontrou nenhuma prova contundente de que meninos possuam habilidades intelectuais diferentes de meninas. Mas há uma diferença difícil de explicar: as meninas costumam ter melhor

como **MENINAS?**

desempenho na escola, o que contrasta com o estereótipo tradicional da busca masculina por realização e suposta aptidão para atividades intelectuais. Segundo Maccoby, a verdadeira diferença não está no potencial, mas no fato de que as meninas, sobretudo as adolescentes, são mais disciplinadas e esforçadas do que os meninos.

Cérebro masculino e cérebro feminino?

Alguns psicólogos, porém, acreditam que existem diferenças reais na forma de pensar e agir de homens e mulheres, independentemente de questões sociais. Os psicólogos evolutivos garantem que diferenças inatas fazem com que as mulheres tenham uma preocupação natural com a família e os homens se sintam na obrigação de protegê-las e prover seu sustento. Recentemente, Simon Baron-Cohen apresentou a teoria de que existem "cérebro masculino" e "cérebro feminino" (embora nem sempre relacionados ao sexo da pessoa). De acordo com Baron-Cohen, o cérebro feminino tem maior empatia, ou seja, é capaz de se identificar com os pensamentos e os sentimentos dos outros, enquanto o masculino é sistemático, sendo capaz de analisar e lidar com regras e sistemas mecânicos e abstratos. Conclusão: as mulheres costumam ser mais empáticas, enquanto os homens são mais sistemáticos. Embora a pesquisa de Baron-Cohen dê margem ao sexismo, não existe uma divisão clara entre os dois sexos: muitos homens têm empatia, e muitas mulheres são sistemáticas. Um grande número de pessoas tem características que as associam com o sexo oposto, e algumas sentem até que nasceram no corpo errado. Nossas ideias sobre as diferenças entre homens e mulheres sempre foram preto ou branco, mas a verdade é que existem muitos tons de cinza.

EXPERIÊNCIA COM O BEBÊ X

Em diversos estudos realizados na década de 1970, adultos foram apresentados a um bebê, o Bebê X, alguns achando que era um menino, outros, que era uma menina, e outros sem saber o sexo da criança. A reação dos participantes – como eles brincavam com o bebê e interpretavam suas respostas diante de brinquedos como bonecas ou carrinhos – demonstrou que a atitude deles era influenciada pela ideia que eles tinham do sexo do bebê.

Por que as pessoas se **APAIXONAM?**

Tanto homens quanto mulheres se sentem naturalmente mais atraídos por pessoas com rosto simétrico.

Veja também: 14–15, 94–95

ENTRE NOSSAS NECESSIDADES HUMANAS BÁSICAS ESTÁ A NECESSIDADE POR OUTROS. PRECISAMOS DA COMPANHIA DE AMIGOS, MAS TAMBÉM DO AFETO E DA INTIMIDADE DE UM RELACIONAMENTO MAIS PRÓXIMO. OS PSICÓLOGOS ESTUDARAM COMO ESCOLHEMOS NOSSOS PARCEIROS, POR QUE NOS SENTIMOS ATRAÍDOS POR ALGUÉM EM ESPECIAL E O QUE É AMOR.

Diferentes tipos de amor

Nossos relacionamentos com os outros ajudam a dar sentido à nossa vida, e as amizades desempenham um grande papel nisso. Mas também desenvolvemos relacionamentos com mais compromisso, diferentes da amizade – amigos, podemos ter vários ao mesmo tempo, mas parceiro apenas um. Esse tipo de relacionamento exclusivo costuma ser associado ao amor, não à amizade. Alguns psicólogos acreditam que o amor tem um propósito evolutivo, pois nos ajuda a escolher um parceiro com quem passar a vida e ter filhos. Outros, incluindo John Bowlby, viam o amor como uma forma de apego, similar ao apego de um filho com os pais, com elementos de cuidado e atração sexual. Mas existem diferentes tipos de amor, desde o amor romântico, a paixão, até o companheirismo. E também várias formas de compromisso: nas sociedades ocidentais, os indivíduos podem escolher seu parceiro, mas em outras culturas os casamentos são arranjados pelos pais. Em algumas sociedades, a poligamia (casamento com mais de uma pessoa) é considerada normal, e boa parte dos relacionamentos no mundo inteiro é entre pessoas do mesmo sexo.

ENVELHECENDO JUNTOS

Participantes de um estudo realizado por Robert Zajonc examinaram fotografias de pessoas no primeiro ano de casamento e 25 anos depois, observando que os casais ficam parecidos fisicamente à medida que envelhecem juntos. Isso pode acontecer porque costumamos escolher parceiros com características físicas similares ou porque imitamos as expressões faciais um do outro.

Amor e atração

Robert Sternberg analisou os diferentes tipos de amor e identificou três fatores básicos nos relacionamentos amorosos: intimidade, paixão e compromisso. Segundo Sternberg, o amor romântico envolve intimidade e paixão, mas pouco compromisso, enquanto o amor companheiro tem menos paixão, sendo uma mistura de intimidade e compromisso. Quando há paixão e compromisso sem intimidade, temos o amor fátuo. Todos os relacionamentos amorosos, porém, começam porque as pessoas se sentem atraídas umas pelas outras. Mas o

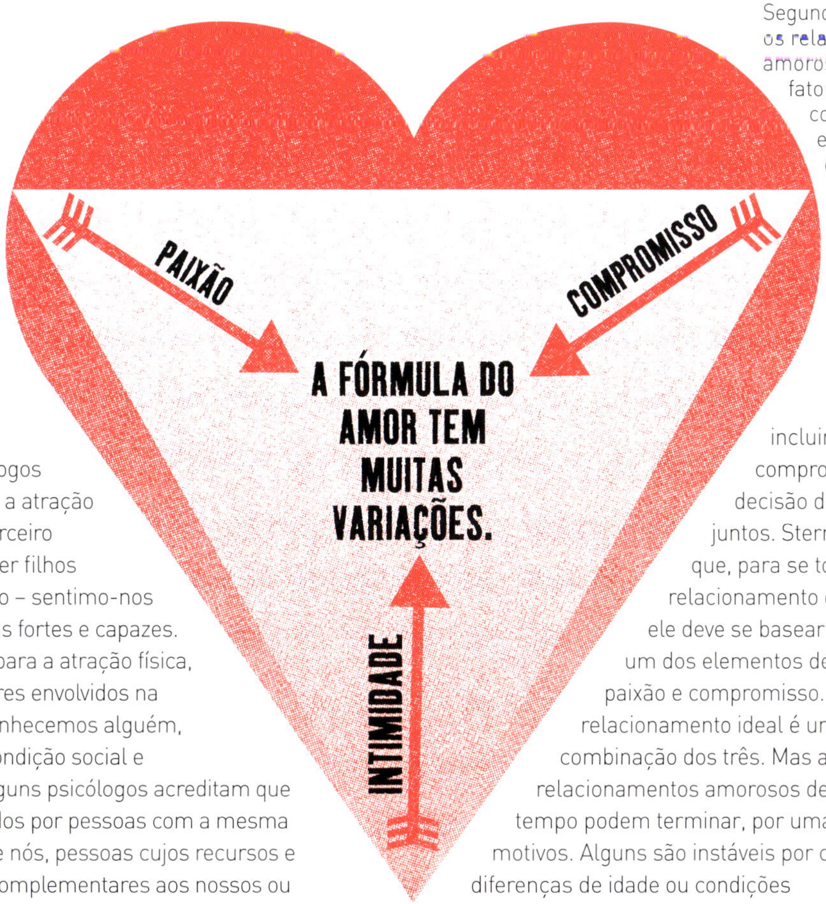

A FÓRMULA DO AMOR TEM MUITAS VARIAÇÕES.

PAIXÃO

COMPROMISSO

INTIMIDADE

Triângulo amoroso
Segundo Robert Sternberg, os relacionamentos amorosos envolvem três fatores, e as diferentes combinações entre esses fatores determinam o tipo de amor do relacionamento. Os relacionamentos mais fortes baseiam-se nos três elementos juntos.

que torna alguém atraente? Os psicólogos evolutivos vinculam a atração à seleção de um parceiro adequado para trazer filhos saudáveis ao mundo – sentimo-nos atraídos por pessoas fortes e capazes. Embora isso valha para a atração física, existem outros fatores envolvidos na atração. Quando conhecemos alguém, conhecemos sua condição social e personalidade, e alguns psicólogos acreditam que nos sentimos atraídos por pessoas com a mesma visão de mundo que nós, pessoas cujos recursos e necessidades são complementares aos nossos ou pessoas com a mesma posição social.

Ficando juntos

Infelizmente, nem todos os relacionamentos íntimos passam do período inicial de atração. Esse é só o primeiro de diversos estágios num relacionamento, que podem incluir a paixão, o compromisso e a decisão de viver juntos. Sternberg dizia que, para se tornar um relacionamento duradouro, ele deve se basear em mais de um dos elementos de intimidade, paixão e compromisso. O relacionamento ideal é uma combinação dos três. Mas até relacionamentos amorosos de muito tempo podem terminar, por uma série de motivos. Alguns são instáveis por conta de diferenças de idade ou condições socioeconômicas, mas, de modo geral, as pessoas simplesmente vão perdendo o interesse e se afastando. Vale lembrar que até nos relacionamentos mais estáveis haverá conflitos, e a forma de resolvê-los é o que determinará se a parceria continuará.

O APEGO CARACTERIZA OS RELACIONAMENTOS AMOROSOS DO BERÇO AO TÚMULO.

JOHN BOWLBY

A INTENSIDADE DE AMOR QUE VIVENCIAMOS DEPENDE DA FORÇA ABSOLUTA DE INTIMIDADE, PAIXÃO E COMPROMISSO.

ROBERT STERNBERG

A psicologia social NA PRÁTICA

ALGUÉM ME AJUDE

Por mais estranho que possa parecer, quanto mais pessoas estiverem presentes numa situação em que alguém requer ajuda, menos provável que alguém ajude. Eis o chamado "efeito observador", que acontece porque cada pessoa pressupõe que alguém ajudará. Se algum dia você precisar de ajuda, aponte para alguém e diga: "Ajude-me".

BULLYING VIRTUAL

As pessoas podem ser muito cruéis umas com as outras na internet, talvez pelo anonimato, que lhes permite agir como se seus atos não tivessem consequências. Os psicólogos defendem a exposição desses infratores nos sites para coibir o bullying virtual.

AMIGOS FAMILIARES

Os psicólogos observaram que a simples proximidade física já faz que gostemos das pessoas. Estudantes universitários geralmente ficam mais amigos dos alunos que vivem no mesmo andar que o seu, mesmo que tenham sido acomodados aleatoriamente.

UM DE NÓS

Somos mais facilmente influenciados por pessoas de quem gostamos – é por isso que os vendedores bajulam seus clientes. Além disso, costumamos confiar e acreditar em pessoas que sejam parecidas conosco. Os políticos têm o hábito de falar na mesma linguagem do público, vestindo-se de maneira casual para atrair eleitores.

ENCONTRANDO UM PARCEIRO

Alguns psicólogos acreditam que nos adequamos a grupos por motivos de evolução. Como queremos ser aceitos socialmente, vestimos roupas da moda e procuramos gostar do que todo mundo gosta. Sem isso, talvez tenhamos dificuldades de encontrar um parceiro para reprodução. Podemos dizer, portanto, que até certo ponto a conformidade nos torna mais atraentes.

MEDO DE PALCO

Até as melhores bandas do mundo precisam ensaiar horas antes de subir ao palco. A presença do público influencia nossa performance. Se a tarefa for simples ou formos especialistas no assunto, nosso desempenho será melhor na presença de pessoas. Se for uma tarefa difícil e não formos especialistas, nosso desempenho provavelmente será pior.

Os psicólogos sociais estudam o modo como as pessoas interagem umas com as outras, formam grupos e exercem pressão sobre os outros. As descobertas nessa área ajudam a explicar nossos relacionamentos com amigos e entes queridos, podendo ser utilizadas por indivíduos e organizações, como políticos e agências de publicidade, para influenciar nosso comportamento.

TRUQUES DE PROPAGANDA

Já reparou como os comerciais de televisão de produtos desinteressantes são doidos? Os anunciantes chegaram à conclusão de que é melhor persuadir as pessoas usando o humor do que a razão. Quanto mais desinteressante o produto, menos as pessoas ouvirão argumentos racionais.

CALOR HUMANO

Se você quiser que as pessoas gostem de você, dê sempre apertos de mão literalmente acolhedores. Os pesquisadores descobriram que é possível influenciar nossas impressões sobre os outros mudando a temperatura das mãos. Mãos quentes resultam em impressão de calor humano.

Diretório de psicólogos

Mary AINSWORTH (1913-1999) Veja 30–31

Gordon ALLPORT (1897-1867) Veja 88–89

Elliot ARONSON (1932-)
Elliot Aronson foi criado em meio à pobreza, em Massachusetts, EUA, durante a Grande Depressão. Começou a estudar economia na universidade, mas mudou para psicologia depois de assistir, por acaso, a uma palestra de Abraham Maslow. Aronson é conhecido por suas pesquisas sobre preconceito e comportamentos extremos, e é a única pessoa a ganhar os três prêmios da Associação Americana de Psicologia – por obra escrita, ensino e pesquisa.

Albert BANDURA (1925-)
Mais conhecido pela experiência do joão-bobo e pela teoria da aprendizagem social, Albert Bandura nasceu numa pequena cidade de Alberta, Canadá, filho de pais poloneses. Depois de concluir o doutorado na Universidade de Iowa, EUA, Bandura passou a dar aulas na Universidade de Stanford, Califórnia, e foi presidente da Associação Americana de Psicologia em 1974.

Aaron BECK (1921-)
Aaron Beck nasceu em Rhode Island, EUA, filho de imigrantes russos. Após uma grave doença que sofreu aos oito anos, decidiu que seria médico. Beck frequentou a Brown University e a Yale Medical School, antes de se formar como psiquiatra e trabalhar na Universidade da Pensilvânia. Em 1994, fundou o Beck Institute for Cognitive Behavior Therapy com sua filha, Judith Beck. É considerado o pai da terapia cognitiva, e seus métodos pioneiros são usados no tratamento da depressão.

Colin BLAKEMORE (1944-)
Colin Blakemore é professor de neurociência na Universidade de Oxford e na Universidade de Londres, Inglaterra, e já foi CEO do British Medical Research Council. Com pesquisas voltadas para o desenvolvimento do cérebro e da visão, Blakemore é conhecido por seu trabalho sobre neuroplasticidade e também pelo apoio ao uso de animais em pesquisas médicas.

Gordon H. BOWER (1932-)
Gordon H. Bower é mais conhecido por sua contribuição na área de psicologia cognitiva, principalmente o trabalho sobre memória humana. Criado em Ohio, EUA, Bower conheceu o trabalho de Sigmund Freud no ensino médio. Formou-se em psicologia pela Case Western Reserve University, Cleveland, obtendo o doutorado em Yale. Deu aulas na Universidade de Stanford e recebeu a Medalha Nacional de Ciências em 2005.

John BOWLBY (1907-1990)
Nascido em Londres, Inglaterra, numa família de classe média alta, John Bowlby foi criado basicamente por babás e mandado para um internato aos sete anos – experiências que influenciariam seu trabalho. Estudou psicologia no Trinity College, Cambridge, formando-se, mais tarde, psicanalista. Atuou por muitos anos como diretor da Clínica Tavistock em Londres, e é conhecido por seu trabalho pioneiro sobre apego.

Donald BROADBENT (1926-1993) Veja 70-71

Jerome BRUNER (1915-)
Pioneiro no movimento de psicologia cognitiva, Jerome Bruner nasceu em Nova York, EUA, filho de pais poloneses. Estudou na Duke University, Carolina do Norte, e fez doutorado em Harvard. Durante a Segunda Guerra Mundial, serviu ao Exército dos EUA. Em 1960, fundou o Center for Cognitive Studies com George Armitage Miller, sendo eleito presidente da Associação Americana de Psicologia em 1965.

Noam CHOMSKY (1928-)
Conhecido como o pai da linguística moderna, Noam Chomsky também é filósofo, ativista social e autor de mais de cem livros. Obteve os títulos de bacharel e doutor na Universidade da Pensilvânia, indo mais tarde ministrar aulas no Massachusetts Institute of Technology. Chomsky recebeu inúmeros prêmios por seu trabalho, além de diversos títulos honorários de universidades do mundo todo.

Mihály CSÍKSZENTMIHÁLYI (1934-)
O psicólogo húngaro Mihály Csíkszentmihályi nasceu em Fiume, Itália (atual Rijeka, Croácia). Inspirado por uma palestra de Carl Jung a que assistiu na adolescência, mudou-se para os EUA para estudar na Universidade de Chicago, onde se tornou diretor do departamento de psicologia. Atualmente na Universidade da Califórnia, é conhecido por suas pesquisas sobre felicidade e, em especial, por sua teoria do "fluxo".

Hermann EBBINGHAUS (1850-1909)
Ebbinghaus nasceu em Barmen, Alemanha, numa família de mercadores ricos. Estudou na Universidade de Bonn e deu aulas na Universidade de Berlim, onde montou dois laboratórios de psicologia. Ebbinghaus é conhecido por ter sido o primeiro psicólogo a estudar o aprendizado e a memória de maneira sistemática, realizando experiências em si mesmo. Deu aulas até falecer, aos 59 anos, de pneumonia.

Paul EKMAN (1934-)
O psicólogo americano Paul Ekman começou seus estudos na Universidade de Chicago quando tinha apenas quinze anos, interessando-se pelo trabalho de Sigmund Freud e pela psicoterapia. Concluiu o doutorado em psicologia clínica na Adelphi University, Nova York, e passou muitos anos pesquisando a comunicação não verbal na Universidade da Califórnia. Ekman recebeu inúmeros prêmios e foi pioneiro no estudo das emoções e sua relação com as expressões faciais.

Albert ELLIS (1913-2007)

Albert Ellis nasceu na Pensilvânia, EUA, filho de pais judeus. Teve uma infância difícil, pelo fato de sua mãe sofrer de transtorno bipolar. Trabalhou como escritor antes de estudar psicologia clínica na Universidade Columbia. Lá foi influenciado por Sigmund Freud, mas acabou rompendo com a psicanálise e dirigindo seu trabalho para a área de terapia cognitiva comportamental. Continuou publicando artigos e livros até falecer, aos 93 anos.

Erik ERIKSON (1902-1994)

Erik Erikson cunhou o termo "crise de identidade" depois de enfrentar questões pessoais de identidade. Nascido em Frankfurt, Alemanha, jamais conheceu o pai biológico, tendo sido criado pela mãe e pelo padrasto. Trabalhou como professor de arte e estudou psicanálise com Anna Freud. Ganhou o prêmio Pulitzer e o National Book Award por seus escritos e, mesmo sem título de bacharel, deu aulas em Harvard, Yale, e na Universidade da Califórnia, em Berkeley.

Hans EYSENCK (1916-1997)

Hans Eysenck nasceu em Berlim, Alemanha. Seus pais se separaram logo após seu nascimento, e ele foi criado pela avó materna. Mudou-se para a Inglaterra para estudar e fez o doutorado na University College, de Londres, onde fundou e dirigiu, mais tarde, o Instituto de Psiquiatria. Eysenck foi um grande crítico da psicanálise como forma de terapia, preferindo a terapia comportamental, e ficou conhecido por seu trabalho sobre inteligência e personalidade.

Leon FESTINGER (1919-1989)

Leon Festinger nasceu em Nova York, EUA, filho de imigrantes russos. Formou-se no City College de Nova York e fez o doutorado na Universidade de Iowa sob orientação de Kurt Lewin. Festinger é conhecido pela teoria da dissonância cognitiva, que apresentou após infiltrar-se numa seita religiosa. Também ficou conhecido pelo desenvolvimento de experiências laboratoriais no estudo da psicologia social.

Sigmund FREUD (1856-1939) Veja 102-103

Nico FRIJDA (1927-2015)

Nico Frijda nasceu em Amsterdam, Holanda, numa família judia. Viveu recluso durante a infância por causa da perseguição nazista aos judeus durante a Segunda Guerra Mundial. Frijda recebeu o diploma de ph.D. da Gemeente Universiteit, Amsterdam, por sua tese sobre expressões faciais. Dedicou sua carreira às emoções humanas, declarando que decidiu estudar o assunto por ter se apaixonado por uma "menina muito expressiva" na juventude.

J. J. GIBSON (1904-1979)

James Jerome Gibson nasceu em Ohio, EUA. Fez doutorado na Universidade de Princeton e deu aulas no Smith College, Massachusetts. De 1942 a 1945, serviu ao exército na Segunda Guerra Mundial, dirigindo a unidade de pesquisa sobre psicologia de aviação das Forças Aéreas Americanas. Retornou ao Smith College para realizar pesquisas sobre percepção visual, e é considerado um dos psicólogos mais importantes do século XX em sua área.

Donald HEBB (1904-1985)

Donald Hebb nasceu na Nova Escócia, Canadá. Dando aulas, entrou em contato com o trabalho de Sigmund Freud, William James e John B. Watson, o que o levou a estudar psicologia na McGill University. Obteve o título de doutorado pelas universidades de Chicago e de Harvard, sob orientação de Karl Lashley. Foi pioneiro no estudo da psicologia biológica e ficou conhecido pelo trabalho sobre a função dos neurônios no aprendizado. Foi presidente da Associação Americana de Psicologia em 1960.

William JAMES (1842-1910)

Nascido numa família rica e influente de Nova York, William James começou a carreira como pintor, antes de desenvolver um interesse pelo mundo da ciência. Depois de se formar médico em Harvard, deu aulas nessa universidade por quase toda a vida, criando os primeiros cursos de psicologia dos EUA, além de montar um laboratório para pesquisas. James é lembrado pelo papel central que desempenhou no estabelecimento da psicologia como uma disciplina verdadeiramente científica.

Carl JUNG (1875-1961)

Carl Jung nasceu num pequeno povoado suíço e estudou medicina na Universidade da Basileia. Ficou famoso pelo trabalho de anos ao lado de Sigmund Freud, mas a parceria acabou se desfazendo por causa de diferenças teóricas. Jung viajou por toda a África, América e Índia estudando os povos nativos. Apresentou e desenvolveu os conceitos de tipos de personalidade extrovertido e introvertido e de inconsciente coletivo.

Daniel KAHNEMAN (1934-)

Daniel Kahneman nasceu numa família judia da Lituânia e foi criado na França. Na época em que estudava ciências, foi apresentado ao trabalho de Kurt Lewin, que o levou a obter o título de ph.D. em psicologia pela Universidade da Califórnia. Conhecido por seu trabalho sobre a psicologia do julgamento humano e da tomada de decisões, Kahneman recebeu inúmeros prêmios, incluindo a Medalha Presidencial da Liberdade, em 2013.

Daniel KATZ (1903-1998)

Daniel Katz foi um psicólogo social, conhecido por seus estudos sobre estereótipo racial, preconceito e mudança de atitude. Nascido em Nova Jersey, EUA, fez mestrado na Universidade de Buffalo e doutorado na Universidade de Syracuse. Foi professor de psicologia na Universidade de Michigan e recebeu vários prêmios, incluindo o Lewin e a Medalha de Ouro da Associação Americana de Psicologia.

Lawrence KOHLBERG (1927-1987)

Lawrence Kohlberg nasceu em Bronxville, Nova York. Trabalhou como marinheiro depois de abandonar o ensino médio e foi estudar na Universidade de Chicago, obtendo o título de bacharel em apenas um ano. Kohlberg baseou-se no trabalho de Jean Piaget e apresentou uma teoria que explicava o desenvolvimento do raciocínio moral. Deu aulas em Yale e Harvard.

Wolfgang KÖHLER (1887-1967)
Wolfgang Köhler foi uma figura central no desenvolvimento da psicologia da gestalt. Köhler estudou em várias universidades da Alemanha até concluir o doutorado em Berlim. Trabalhou como diretor do Instituto de Psicologia de Berlim até 1935, quando teve de emigrar para os EUA por ser um crítico declarado do governo nazista de Hitler. Deu aulas em diversas universidades americanas e foi presidente da Associação Americana de Psicologia em 1959.

Kurt LEWIN (1890-1947)
Kurt Lewin nasceu numa família de classe média judia na Prússia (atual Polônia) e foi criado em Berlim, Alemanha. Estudou medicina e biologia antes de servir ao Exército alemão durante a Primeira Guerra Mundial. Por ter sofrido ferimentos de guerra, voltou a Berlim para concluir o doutorado e foi influenciado pela psicologia da gestalt. Conhecido como o pai da psicologia social, sobretudo por seu trabalho sobre dinâmica de grupo, Lewin deu aulas em diversas universidades americanas, vindo a falecer aos 57 anos, de ataque cardíaco.

Elizabeth LOFTUS (1944-) Veja 62-63

Eleanor E. MACCOBY (1917-)
Mais conhecida pelo trabalho sobre a psicologia das diferenças entre os sexos, a psicóloga do desenvolvimento Eleanor Emmons Maccoby é de Washington, EUA, e obteve o título de ph.D. pela Universidade de Michigan. Deu aulas em Harvard antes de se mudar para a Universidade de Stanford, onde se tornou a primeira mulher a ocupar uma cadeira no departamento de psicologia. A Associação Americana de Psicologia tem um prêmio anual com seu nome.

Abraham MASLOW (1908-1970)
Abraham Maslow é filho de pais judeus russos, que emigraram para os EUA. Seus pais o obrigaram a estudar direito, mas Maslow mudou para psicologia e fez doutorado na Universidade de Wisconsin, sob orientação do behaviorista Harry Harlow. O trabalho de Maslow voltou-se para as necessidades humanas e nossa capacidade de manifestar todo o nosso potencial. Foi eleito presidente da Associação Americana de Psicologia em 1968.

Rollo MAY (1909-1994)
Nascido em Ohio, EUA, Rollo May teve uma infância difícil após seus pais se divorciarem e sua irmã ser diagnosticada com esquizofrenia. May trabalhou como professor de inglês na Grécia e como ministro de igreja por um curto período de tempo, antes de retornar aos EUA. Abandonou o ministério para seguir a carreira de psicólogo e foi a primeira pessoa a receber o título de ph.D. em psicologia clínica da Universidade Columbia, Nova York. May é conhecido por seu trabalho sobre ansiedade e depressão.

Stanley MILGRAM (1933-1984) Veja 134-135

George Armitage MILLER (1920-2012)
George Armitage Miller foi um dos fundadores da psicologia cognitiva e ficou conhecido pelo trabalho sobre memória humana. Nascido na Carolina do Sul, EUA, primeiro estudou logopedia e depois obteve o título de doutor em psicologia pela Universidade de Harvard. Miller trabalhou em Harvard, no Massachusetts Institute of Technology e na Rockefeller University antes de se estabelecer em Princeton. Em 1969, foi presidente da Sociedade Americana de Psicologia e em 1991 recebeu a Medalha Nacional de Ciências.

Fritz PERLS (1893-1970)
Frederick "Fritz" Perls nasceu em Berlim, Alemanha. Após servir ao Exército alemão durante a Primeira Guerra Mundial, foi estudar medicina e depois psiquiatria. Emigrou para a África do Sul, onde, com a esposa Laura Posner, abriu um instituto de formação psicanalítica. Depois de regressar aos EUA, estabeleceu o New York Institute for Gestalt Therapy e retornou à Califórnia.

Jean PIAGET (1896-1980)
Nascido na Suíça, Jean Piaget sempre se interessou pelo mundo natural, publicando seu primeiro artigo científico aos onze anos. Depois de fazer doutorado em zoologia, começou a dar palestras e publicar trabalhos sobre psicologia e filosofia. Reconhecido por sua pesquisa sobre o desenvolvimento cognitivo infantil, Piaget recebeu o prêmio Erasmus em 1972, o prêmio Balzan em 1978 e diversos títulos honorários no mundo inteiro.

Laura POSNER (1905-1990) Veja Fritz Perls, acima

Vilayanur RAMACHANDRAN (1951-) Veja 48-49

Santiago RAMÓN Y CAJAL (1852-1934) Veja 44-45

Carl ROGERS (1902-1987)
Nascido numa família protestante ortodoxa em Illinois, EUA, Carl Rogers desenvolveu teorias com base na ideia de que somos capazes de realizar nosso potencial, alcançando bem-estar mental. Trabalhou nas universidades de Ohio, Chicago e Wisconsin e foi presidente da Associação Americana de Psicologia em 1947. Seus últimos anos de vida foram dedicados à aplicação de suas teorias em lugares de conflito social, como Irlanda do Norte e África do Sul. Rogers foi indicado ao prêmio Nobel da Paz em 1987.

Dorothy ROWE (1930-)
Dorothy Rowe é psicóloga clínica e escritora, com foco no estudo e no tratamento da depressão. Nascida na Nova Gales do Sul, Austrália, estudou psicologia na Universidade de Sydney. Emigrou mais tarde para o Reino Unido, onde concluiu o doutorado e estabeleceu o Lincolnshire Department of Clinical Psychology. Morando atualmente em Londres, Rowe escreve regularmente em jornais e revistas, e é autora de dezesseis livros.

Daniel SCHACTER (1952-)
Conhecido por seu trabalho sobre memória humana, Daniel Schacter nasceu em Nova York, EUA. Sua tese de doutorado na Universidade de Toronto, Canadá, foi supervisionada por Endel Tulving, e em 1981 a dupla abriu uma unidade para transtornos de memória, em Toronto. Dez anos depois, Schacter passou a dar aula de psicologia em Harvard, onde inaugurou o Schacter Memory Laboratory.

Martin SELIGMAN (1942-)
Martin Seligman é considerado um dos fundadores da psicologia positiva. Nascido em Nova York, EUA, estudou filosofia na Universidade de Princeton e fez doutorado em psicologia na Universidade da Pensilvania. Inspirado pelo trabalho de Aaron Beck, Seligman desenvolveu um interesse por depressão e pela busca de felicidade. É diretor do Penn Positive Psychology Center e foi eleito presidente da Associação Americana de Psicologia em 1998.

B. F. SKINNER (1904-1990)
Nascido na Pensilvânia, EUA, Burrhus Frederic Skinner estudou inglês no Hamilton College, Nova York, e inicialmente queria ser escritor. Influenciado pelo trabalho de Ivan Pavlov e John B. Watson, concluiu o doutorado em psicologia pela Harvard e tornou-se um pioneiro do behaviorismo. Recebeu um prêmio da Associação Americana de Psicologia pelo conjunto da obra poucos dias antes de morrer.

Thomas SZASZ (1920-2012)
Thomas Szasz, autor de *O mito da doença mental*, foi um crítico bastante conhecido das bases morais e científicas da psiquiatria. Nascido em Budapeste, Hungria, mudou-se para os EUA em 1938 e estudou medicina na Universidade de Cincinnati, Ohio. Deu aulas na New York State University e recebeu mais de cinquenta prêmios de prestígio.

Edward THORNDIKE (1874-1949)
Nascido em Massachusetts, EUA, Edward Thorndike é conhecido por seu trabalho sobre comportamento animal e processo de aprendizagem. Thorndike estudou em Harvard sob orientação de William James e concluiu sua tese de doutorado na Universidade Columbia, Nova York, onde passou quase toda a vida. Ajudou a estabelecer os fundamentos científicos da psicologia educacional moderna e foi presidente da Sociedade Americana de Psicologia em 1912.

Edward TOLMAN (1886-1959)
Edward Tolman foi um behaviorista conhecido por suas experiências com ratos em labirintos. Tolman estudou eletroquímica no Massachusetts Institute of Technology, EUA, mas, depois de ler os trabalhos de William James, optou por uma pós-graduação em psicologia pela Universidade de Harvard. Deu aulas na Universidade da Califórnia, Berkeley, na maior parte da vida, e deu significativas contribuições para os estudos sobre aprendizado e motivação. Foi presidente da Sociedade Americana de Psicologia em 1937.

Endel TULVING (1927-)
Filho de um juiz da Estônia, Endel Tulving é psicólogo experimental e neurocientista. Formou-se e fez mestrado na Universidade de Toronto, Canadá, concluindo o doutorado em Harvard, EUA, antes de voltar a Toronto como professor assistente. Reconhecido por suas teorias sobre a organização da memória, Tulving recebeu o Prêmio Internacional da Fundação Gairdner em 2005 – o principal prêmio do Canadá nas áreas de biologia e medicina.

Lev VYGOTSKY (1896-1934)
Lev Vygotsky nasceu na cidade de Orsha, no Império Russo (atual Bielorússia). Estudou direito na Universidade de Moscou, onde foi influenciado pela psicologia da gestalt. Vygotsky é conhecido como psicólogo do desenvolvimento por sua teoria de que as crianças aprendem com o meio social. Embora não tenha tido reconhecimento em vida, sua obra tornou-se a base para diversas pesquisas e teorias no campo do desenvolvimento cognitivo.

John B. WATSON (1878-1958)
John Broadus Watson, fundador do behaviorismo, nasceu numa família pobre da Carolina do Sul, EUA. Apesar de ter sido um adolescente rebelde, terminou o mestrado com apenas 21 anos. Após concluir o doutorado na Universidade de Chicago, foi presidente do departamento de psicologia da Universidade Johns Hopkins. Watson é conhecido por suas pesquisas sobre comportamento animal e educação de filhos, além da polêmica experiência com "o pequeno Albert". Em 1915, foi presidente da Sociedade Americana de Psicologia.

Max WERTHEIMER (1880-1943)
Um dos fundadores da psicologia da gestalt, Max Wertheimer nasceu em Praga, numa família de elevado nível cultural. Violinista e compositor talentoso, parecia destinado a se tornar músico, mas estudou direito, filosofia e, depois, psicologia. Deu aulas em universidades de Berlim e Frankfurt, Alemanha, antes de emigrar para Nova York, EUA, em 1933. Wertheimer é conhecido por seu trabalho sobre a mente e sua forma de procurar padrões ao processar informações visuais.

Robert ZAJONC (1923-2008)
Robert Zajonc foi um psicólogo social conhecido por seu trabalho sobre julgamento e tomada de decisões. Quando tinha dezesseis anos, sua família mudou-se de Lodz para Varsóvia, fugindo da invasão nazista. Seus pais foram mortos num bombardeio aéreo, e ele foi mandado para um campo de concentração na Alemanha, de onde conseguiu escapar. Formou-se e concluiu o mestrado e o doutorado na Universidade de Michigan, EUA, trabalhando posteriormente como professor nessa universidade por quase quatro décadas.

Bluma ZEIGARNIK (1901-1988)
Bluma Zeigarnik nasceu na Lituânia, parte do Império Russo na época, e foi uma das primeiras mulheres russas a frequentar uma universidade. Fez doutorado na Universidade de Berlim, Alemanha, onde foi influenciada pelos psicólogos da gestalt Wolfgang Köhler, Max Wertheimer e Kurt Lewin. Ganhou o Lewin Memorial Award em 1983, e é conhecida por seu trabalho sobre a tendência de nos lembrarmos de tarefas incompletas.

Philip ZIMBARDO (1933-)
Nascido em Nova York, EUA, numa família de imigrantes sicilianos, Philip Zimbardo frequentou o Brooklyn College, onde se formou em psicologia, sociologia e antropologia. Concluiu o doutorado em Yale e deu aulas em diversas universidades antes de se mudar para a Universidade de Stanford, onde realizou a famosa experiência da prisão de Stanford. Autor de muitos livros, recebeu inúmeros prêmios e foi eleito presidente da Associação Americana de Psicologia em 2002.

Glossário

Agressividade
Comportamento que causa dano a outro indivíduo.

Altruísmo
A preocupação abnegada com o bem-estar dos outros.

Apego
Um importante vínculo emocional entre a criança e um adulto que cuida dela, formado nos primeiros anos de vida da criança.

Aprendizagem social
Teoria de aprendizagem de Albert Bandura baseada no fato de que observamos e imitamos o comportamento dos outros.

Atenção
O processo de focar nossa *percepção* em um elemento de nosso meio.

Ato falho
Palavra parecida com a que se queria dizer, porém diferente, revelando pensamentos *inconscientes*.

Autorrealização
A necessidade humana de atingir seu potencial máximo – uma das principais necessidades humanas, de acordo com Abraham Maslow.

Behaviorismo
Abordagem psicológica que estuda o comportamento observável, em vez de processos internos como pensamento ou emoção.

Cérebro dividido
O resultado de quando os dois *hemisférios* do cérebro são separados cirurgicamente. Técnica utilizada originalmente para tratar a *epilepsia*.

Complexo de inferioridade
Condição que se desenvolve quando uma pessoa se sente inferior aos outros. Pode levar a um comportamento hostil ou antissocial.

Condicionamento clássico
Tipo de aprendizado em que um *estímulo* provoca uma *resposta* involuntária ou automática.

Condicionamento operante
Tipo de aprendizado em que uma *resposta* voluntária é reforçada por uma recompensa ou punição.

Conformidade
A tendência de adotarmos o comportamento, *postura* e valores de outros membros de um grupo ou figura de autoridade.

Consciência
A percepção que temos de nós mesmos e de nosso meio.

Dependência
A incapacidade de parar de usar substâncias como álcool e drogas.

Depressão
Transtorno de humor caracterizado por sentimento de desesperança e baixa autoestima.

Desejo
Um desencadeador que nos motiva a satisfazer nossas necessidades fisiológicas. Por exemplo, o desejo de comer (a fome) nos leva a comer.

Dissonância cognitiva
Sensação de desconforto resultante de crenças conflitantes.

Doença neurodegenerativa
Doença que afeta o *sistema nervoso*.

Drogas psicoativas
Substâncias que afetam nossa *consciência* modificando a forma como os sinais são transmitidos por nosso cérebro e *sistema nervoso*.

Efeito observador
Fenômeno segundo o qual quanto mais observadores houver, menos responsabilidade cada um sente de ajudar alguém em apuros.

Ego
Na *psicanálise*, a parte consciente e racional da mente.

Eletroencefalografia (EEG)
Tipo de tecnologia de mapeamento cerebral que serve para medir os sinais elétricos do cérebro.

Epilepsia
Transtorno marcado por convulsões repentinas, associado a uma atividade elétrica anormal no cérebro.

Esquizofrenia
Grave distúrbio mental caracterizado por visão distorcida da realidade, com sintomas como alucinações, comportamento instável e ausência de emoção.

Estímulo
Qualquer objeto, evento, situação ou fator num meio que aciona uma *resposta* específica.

Extrovertido
Tipo de personalidade que direciona sua energia ao mundo externo. As pessoas extrovertidas costumam ser sociáveis e comunicativas e adoram a companhia de outras pessoas.

Fluxo
Termo de Mihály Csíkszentmihályi para o estado de transe no qual entramos quando estamos totalmente envolvidos numa tarefa, gerando sentimentos de satisfação e felicidade.

Fobia
Transtorno de ansiedade caracterizado por um intenso medo irracional de um objeto ou situação.

***Groupthink* (identidade de grupo)**
Fenômeno que ocorre num grupo de pessoas quando o desejo de se adequar ao grupo supera o pensamento crítico independente, geralmente conduzindo a tomadas de decisão negativas.

Grupo de controle
Num estudo, grupo de participantes que não são expostos às condições da experiência.

Grupo externo
Grupo a que não pertencemos e que, portanto, será visto de maneira desfavorável.

Grupo interno
Grupo a que pertencemos. Os integrantes de um grupo geralmente têm mais consideração por seu próprio grupo, em detrimento de outros grupos, ou *grupos externos*.

Hemisfério
Um das duas metades do cérebro: hemisfério esquerdo e hemisfério direito.

Hipnose
A indução de um estado de transe temporário na *consciência*, em que a pessoa fica mais suscetível à sugestionabilidade.

Hipótese
Predição ou afirmação testada por experimentação.

Id
Na *psicanálise*, a parte *inconsciente* da mente associada com nossos *desejos* instintivos e nossas necessidades físicas.

***Imprinting* (cunhagem)**
Fenômeno segundo o qual um animal recém-nascido cria um vínculo instintivo com qualquer ser ou objeto que identifica como seu progenitor.

Inato
Quando uma característica está presente desde o nascimento, em vez de ser adquirida pela experiência. Pode ser herdada ou não.

Inconsciente
De acordo com Sigmund Freud, o nível de *consciência* que não pode ser acessado facilmente, em que ficam armazenados os mais profundos desejos, ideias, memórias e emoções.

Inconsciente coletivo
Na teoria da Carl Jung, a parte do *inconsciente* compartilhada com outras pessoas e passada de geração em geração.

Inteligência cristalizada
A capacidade de usar o conhecimento e as habilidades resultantes da educação e da experiência.

Inteligência fluida
A capacidade de resolver problemas por meio do raciocínio, independentemente do conhecimento adquirido.

Inteligência geral
Capacidade por trás de todo comportamento inteligente, conceito proposto por Charles Spearman.

Introspecção
A análise de nosso estado e de nossos pensamentos internos.

Introvertido
Tipo de personalidade que direciona sua energia para dentro de si mesmo. As pessoas introvertidas costumam ser tímidas e quietas.

Livre associação
Técnica utilizada na *psicoterapia*, em que os pacientes dizem a primeira coisa que lhes vem à cabeça após a menção de uma palavra qualquer, com o propósito de revelar seus pensamentos *inconscientes*.

Lobo frontal
Uma das quatro áreas ou lobos do cérebro. Localizado na frente de cada *hemisfério*, está associado à *memória de curto prazo*.

Memória de curto prazo
Armazém de memória que guarda as informações necessárias para uso imediato. As informações se perderão se não passarem à *memória de longo prazo*.

Memória de longo prazo
Armazém de memória que guarda informações por um longo período de tempo.

Memória episódica
Armazém de memória que registra eventos e experiências.

Memória falsa
A lembrança de um evento que não aconteceu.

Memória procedimental
Armazém de memória que registra métodos e maneiras de fazer as coisas.

Memória semântica
Armazém de memória que registra fatos e conhecimento.

Memória vinculada ao contexto
Memória associada ao lugar em que ela foi registrada, sendo recuperável se a pessoa voltar a esse lugar.

Memória vinculada ao humor
Memória relacionada a um humor específico, que vem à tona quando nos sentimos da mesma maneira que no passado.

Memória vívida
Memória associada a um acontecimento com grande carga de emoção.

Mente
O elemento que controla o *consciente* e os pensamentos.

Modelar
Decidir como agir observando o comportamento dos outros.

Moralidade
Conjunto de *valores* e crenças sustentado por uma comunidade em relação ao que é certo e o que é errado.

Neurociência
Estudo biológico do cérebro e de seu funcionamento.

Neurônio
Célula nervosa que transmite sinais para todas as partes do corpo e forma redes no cérebro.

Neuroplasticidade
A forma como as conexões do cérebro se adaptam a mudanças de comportamento/meio ou como resultado de uma lesão cerebral.

Neurose
Transtorno mental sem causa física aparente, como ansiedade ou *depressão*.

Normas sociais
As regras implícitas que governam o comportamento ou a *postura* de uma comunidade.

Percepção
A forma como organizamos, identificamos e interpretamos as informações recebidas pelos *sentidos* de modo a compreender o meio.

Personalidade
A combinação única de *traços* que nos leva a agir ou pensar de determinada maneira.

Postura
As avaliações que fazemos de objetos, ideias, eventos ou pessoas.

Preconceito
Julgamentos preconcebidos, geralmente desfavoráveis, em relação a alguém por questões de sexo, classe social, idade, religião, etnia ou alguma outra característica pessoal.

Psicanálise
Conjunto das teorias e métodos terapêuticos desenvolvidos por Sigmund Freud para tratar de transtornos mentais liberando os pensamentos *inconscientes*.

Psicologia cognitiva
Abordagem psicológica que foca nos processos mentais, incluindo aprendizagem, memória, *percepção* e *atenção*.

Psicologia da gestalt
Abordagem psicológica que enfatiza o "todo" (em detrimento das partes individuais) em processos mentais como a percepção.

Psicopatia
Transtorno de personalidade caracterizado por falta de empatia ou remorso e comportamento antissocial.

Psicoterapia
Tratamentos terapêuticos que utilizam meios psicológicos em vez de médicos.

Psiquiatria
Campo da medicina dedicado ao estudo, ao diagnóstico e ao tratamento de distúrbios mentais.

Quociente de inteligência (QI)
Número que representa nossa inteligência, mostrando se estamos acima ou abaixo do QI médio, de 100.

Reforço
No *condicionamento clássico*, o procedimento que aumenta a probabilidade de uma *resposta*.

Repressão
Mecanismo de defesa que exclui pensamentos, memórias ou sentimentos dolorosos do consciente.

Resposta
Reação a um objeto, evento ou situação.

Resposta condicionada
No *condicionamento clássico*, uma *resposta* aprendida ou associada a um *estímulo* específico.

Resposta incondicionada
No *condicionamento clássico*, *resposta* natural ou reflexa a um *estímulo* específico.

Ressonância magnética funcional
Tipo de tecnologia de mapeamento cerebral que mede o fluxo de sangue em diferentes partes do cérebro.

Sentidos
As faculdades que usamos para perceber mudanças em nosso meio interno e externo. Os cinco sentidos são: audição, olfato, visão, paladar e tato.

Sinestesia
Condição em que o indivíduo associa letras, números ou dias da semana a diferentes cores ou até personalidades.

Sistema nervoso
Centro de controle do corpo, consistindo em cérebro, medula espinhal e nervos.

Sono NREM
Estágio do sono em que os músculos relaxam e a atividade cerebral, a respiração e os batimentos cardíacos desaceleram.

Sono REM
Estágio do sono em que sonhamos, caracterizado por movimento rápido dos olhos e imobilização dos músculos.

Superego
Na *psicanálise*, o termo para nossa "consciência" interna, ou a noção adquirida de certo ou errado.

Terapia cognitiva comportamental (TCC)
Tipo de terapia pela fala em que os pacientes são incentivados a lidar com seus problemas mudando sua maneira de pensar e de agir.

Terapia da gestalt
Forma de *psicoterapia* que foca experiências atuais do indivíduo, enfatizando a responsabilidade pessoal.

Terapia eletroconvulsiva (TEC)
Tratamento para distúrbios mentais em que o cérebro recebe uma corrente elétrica para induzir uma convulsão.

Tomografia computadorizada
Tipo de tecnologia de mapeamento cerebral que utiliza raios X e um computador para criar imagens detalhadas do corpo por dentro.

Traço
Característica pessoal específica e frequente que influencia o comportamento em diversas situações.

Transcendência pessoal
A necessidade humana de fazer as coisas por um propósito maior.

Transmissão sináptica
O processo de transmissão de informações entre os *neurônios*, em que cada neurônio dispara um sinal em um neurônio vizinho.

Vadiagem social
Fenômeno segundo o qual exercemos menos esforço para atingir uma meta quando trabalhamos em grupo.

Valores
Conjunto de princípios, padrões de comportamento ou o que julgamos importante na vida.

Viés cognitivo
Premissa ilógica que influencia nossa tomada de decisão, geralmente conduzindo a julgamentos negativos.

Índice remissivo

A

acadêmicos, psicólogos 8-9
Adler, Alfred 111
adolescentes 50, 52
agressividade 132-133
agrupamentos (cérebro) 40
Ainsworth, Mary 14-15, **30-31**
Allport, Gordon 86, **88-89**, 96, 140
altruísmo**124-125**, 134-135
Ames, Adelbert, Jr, 78
amizade 144, 146
amor 144-145
amputação 48
animal, comportamento 14, 15, 18-19, 22, 26, 58, 140
anormal, comportamento 104-107
antidepressivos 112, 116
antipsiquiatria, movimento 107
antissocial, transtorno de personalidade (TPA) 108-109
anúncios 117, **130-131**, 147
apego **14-15**, 31, 144
apertos de mão 147
aplausos 121
aplicada, psicologia **8-9**, 71
aprendizagem **20-21**, **24-25**, 56 57
  gênero e 143
  na velhice 33
  prático 21, 34
  social 27
  ver também memória
Aronson, Elliot 75, 107
Asch, Solomon 120-121, **126-127**
atenção **68-69**, 70
ato falho 111
atração 145
audiência, efeito 140-141, 147
autoconsciência17
autodestruição 132
autoridade, figuras de 28-29, 122-123, 134, 135, 138-139
autorrealização 95
aversão, terapia da 113

B

Baddeley, Alan 61
Bandura, Albert 26, 27, 28, 72, 132, 142
baratas 140
Baron-Cohen, Simon 143
barreira hematoencefálica 53
Bartlett, Frederic 65
Batson, Daniel 124, 125
Beauvoir, Simone de 142
bebês 14-15, 30, 34, 35, 77, 143
  ver também infância
Beck, Aaron 98, 99, 113
behavioristas **18-19**, 20, 26, 28, 58, 72, 85, 94, 130
Bentall, Richard 107
Berkowitz, Leonard 133
Bettelheim, Bruno 15
Binet, Alfred 90
biológica, psicologia 8, 39, **52-53**, 85
biológico, relógio 50, **51**, 52
Blakemore, Colin 41
boa, vida 114-115
bocejo 50
bode expiatório 132
bom comportamento 28-29, 124-125, 134-135
bom samaritano, experiência do 125
bondade, atos de 115
Bower, Gordon H. 61
Bowlby, John 14, 144
Breuer, Josef 102, 110
brincadeiras 21, 24, 28, 94
Broadbent, Donald 68, 69, **70-71**
Broca, Paul 42, 72
Brown, James A. C. 131
Brown, Roger 61
Bruner, Jerome 21, 25, 57, 78
bullying 146

C

cachorro de Pavlov 18-19, 22
camuflagem 81
Candid Camera 126
Capgras, Síndrome de 49
caráter *ver* personalidade
carreira, escolha de 117
Cattell, Raymond 86, 91
cerebral, lavagem 131
cérebro 36-53
  áreas do 43
  cirurgia do 112
  consciência, estados de 47
  dano do 32, 39, **42-43**, 53, 105
  desenvolvimento do 34
  eletroconvulsiva, terapia 112
  e linguagem 72-73
  hemisférios esquerdo e direito do 43
  mapeamento do 39, 41, 42
  masculino e feminino 143
  neurônios **40-41**, 44, 52, 53
  padrões, percepção de 76-77
  tamanho do 91
  visual, processamento 48
certo e errado 28-29
Charcot, Jean-Martin 102, 110
Cherry, Colin 68-69
Chomsky, Noam 72-73
Clark, Kenneth e Mamie 27
cognitiva, dissonância 74-75
cognitiva, psicologia 8, 61, **80-81**, 113
cognitiva comportamental, terapia (TCC) **113**, 131
cognitivo, viés 59
coletivo, inconsciente 111
competição 140-141
comportamental, terapia 113
comportamento 6-7, **26-27**
  animal 14, 15, 18-19, 22, 26, 58, 140
  anormal 104-107
  antissocial 35
  bom e mau 28-29, 108-109, 122-125, 134-135
motivos e desejos 89, 94
pesquisas 11
solidário 124-125, 134-135
condicionamento
  clássico **18-19**, 22-23, 26, 28
como terapia 113
  operante 26-27
conformidade **120-123**, 126, 128-129, 136, 147
conhecimento 56-57

ver também aprendizagem
consciência 46-47, 50, 108, 110
constrangimento 75
crenças **74-75**, 129
Crick, Francis 47
crime 108-109, 124
Csíkszentmihályi, Mihály 115

D

Darley, John M. 124-125
Darwin, Charles 84, 85, 92
decisões, tomada de 34, **58-59**, 125
depressão 98-99
derrames 32
Descartes, René 38
desconhecido, medo do 130
desejos 89, 94
desenvolvimento, psicologia do 9, 16-17, 21, 28-29, **34-35**, 72, 142
dessensibilização 113
diferenças, psicologia das116-117
Dollard, John 132-133
doutrinação 131
drogas
  vício em 53, **100-101**
  efeito no cérebro 40
  terapêuticas 112

E

Eagly, Alice 142
Ebbinghaus, Hermann 20-21, 57, 60
educação *ver* aprendizagem
ego 110
egoísmo 124-125, 132
Einstein, Albert 91
Ekman, Paul 92-93
elétrico, experiências com choque 122-123, 132, 134
eletroconvulsiva, terapia (TEC) 112
Ellis, Albert 98-99, 113
emocional, estabilidade 86, 87
emoções 92-93
  detectando 99
empatia**124**, 125, 143
endorfina 116
entrevistas 10
equipe, espírito de 136-139, 141
Erikson, Erik 17, 32
especialistas 131
esportes 95, 106, 128, **140-141**
esquema 65
esquizofrenia 105, 106-107
essência 76
estatísticas 11
estranha, experiência da situação **14-15**, 31
evolução 85, 132
exercício 25, 116
  na velhice 33
extroversão 86, 87
Eysenck, Hans **86-87**, 96, 111

F

faciais, expressões 93, 116
fala, cura pela 103, **110**, 111
familiar, vida 35
fantasmas, membros 48
felicidade 107, **114-115**
feminismo 142
Festinger, Leon 74 75
filmes 35, 132
fluxo 115
fluxo de consciência 46-47
fobias 113
Fodor, Jerry 38
Foster, Russell 50
Franklin, George 62
frenologia 38
Freud, Anna 110
Freud, Sigmund 47, 50, 94, **102-103**, 110-111, 112, 114, 132
Frijda, Nico 92
Fromm, Erich 114
frustração 132-133
fumar 74, 117, 120, 131

G

Gage, Phineas 42
Galton, Francis 85
Gardner, Howard 91
gêmeos idênticos 85
gênero 73, 93, **142-143**
genética 84-85
Gesell, Arnold 85
gestalt, psicologia da **76-77**, 78, 126, 136
gestalt, terapia da 111
gestão, estilo de 138-139
Gibson, J. J. 79
Golgi, Camillo 40
Goodman, Paul 111
gramática 73
groupthink (identidade de grupo) 136-137
grupos **120-121**, 124-125, 128-129, 131, **136-139**
Guilford, J. P. 91
Guthrie, Edwin 19

H

hábitos, maus 117
Hare, Robert D. 108-109
Harlow, Harry 15
Hebb, Donald 40
hedonismo 94
hipnose 45, 62, **102**, 110
"histeria" 110
Hitler, Adolf 103, 131
HM (estudo de caso) 42
hobbies 95
homens 93, **142-143**
Hull, Clark 94
humores 61, **92-93**

I

id 110
imitação 34, 53, 132
impressões 126, 127
imprinting (cunhagem) 14
inconsciente, o 47, 50, **102-103**, 110-111
infância 14-17, 30-31, 34-35, 52, 91, 132
  e linguagem 73
  moral, desenvolvimento 28-29
inferioridade, complexo de 111
informações, processando 68-69, 71
insanidade 106-107
inteligência 90-91

múltiplos tipos de 117
introspecção 46, 47
introversão 86, 87
investigativa, psicologia 108

J

James, William 46-47, 93
Janis, Irving 136-137
Jenness, A. 120
Jung, Carl 111

K

Kahneman, Daniel 58-59
Kastenbaum, Robert 33
Katz, Daniel 128
Kelly, George 87
Kohlberg, Lawrence 28-29
Köhler, Wolfgang 21, 58, 76
Kraepelin, Emil 105

L

laboratório, condições de 10-11
Laing, R. D. 107
Lange, Carl 93
Lashley, Karl 42-43
Latané, Bibb 124-125, 141
Lazarus, Richard 93
leitura 80
Lewin, Kurt 136, 138
liderança 137, **138-139**
linguagem 34, 42, 43, **72-73**, 127, 131
livre associação 103
Loftus, Elizabeth **62-63**, 67
Lorenz, Konrad 14, 132
loucura *ver* insanidade
lutar ou fugir, reação 51

M

Maccoby, Eleanor E. 143
mães 14-15, 30-31
magnéticos, campos 52
mal **108-109**, 122-123
manicômios 112
mapeamentos 39, 42
Maslow, Abraham 95, 96, 114
maturação 85
mau comportamento 108--109, 122-123
May, Rollo 99
Mayo, Elton 138, 139
McGregor, Douglas 139
médica, psicologia 8-9
medo 130, 131
memória 20-21, **60-61**
armazenamento da 64-65, 66
de curto prazo 64, 69
de longo prazo 42, 61, 64
falsa 62, 63, 67
indesejada 67
inicial 35
limitada 66-67
reprimida 110
técnicas de 81
tipos de 64, 65
velhice e 32-33
Mendel, Gregor 84, 85
mentais, transtornos 104-107
terapias para 112-113
mental, saúde 114
mente 38-39
ver também cérebro
mente aberta 116
mentira 28, 116
metáforas 127
Milgram, Stanley 122-123, **134-135**
Miller, George Armitage 69
Miller, Neal E. 132
Mills, Judson 75
Mischel, Walter 97
moralidade 28-29
motivação 89, **94-95**
mulheres 93, **142-143**
multidão 121, 125
multitarefa 69, 80
música 115

N

natureza *versus* aprendizagem, debate 84-85
nazistas 103, 122, 131
necessidades, hierarquia das 95
negatividade 17, 113, 128
negativo, reforço 26-27
neurais, vias 40-41
neurociência **38-39**, 41, 42, 44-45, 47, 48-49, 112
neurodegenerativas, doenças 32
neurônios **40-41**, 44, 52
espelho 53
neuroplasticidade 41
neurose 110, 112
neuroticismo 86, 87
normalidade 104-105
normas sociais 27, 29, 128-129

O

obediência **122-123**, 134, 136
observador, efeito **124-125**, 146
opiniões 126, 128-129, 130-131
óptica, ilusões de 78 -79

P

padrões 76-77
pais 15, 31
pais**14-15**, 25, 35, 52, 72
ver também pais e mães
palco, medo de 147
Pavlov, Ivan 18-19, **22-23**
pequeno Albert 19
percepção 76-79
perfil criminal 108
Perls, Fritz e Laura 111
personalidade 84-89
mudanças na 96-97
teoria dos tipos *versus* teoria dos traços 86, 96, 97
testes de 117
transtornos de 108-109
perspectiva 77, 79
persuasão 130-131
pesquisa, métodos de 10-11
Piaget, Jean 16-17, 21, 24-25, 28, 57, 72
Pinker, Steven 73
política 128, 131, 146
positiva, psicologia 114-115
positividade 17, 114, 128
positivo, reforço 26-27
pós-traumático,

transtorno de estresse 67, 112-113
postura 128-129
preconceito 27, 129
primeiras impressões 87
prisão, experiência da 123
problemas, resolução de 58
propaganda 126, 131
psicanálise 102-103, **110-111**, 112-113, 114
psicologia explicada 6-7
psicólogos, tipos de 8-9
psicopatas 108-109
psicoterapia **112-113**, 114
psicoticismo 86
psiquiatria **104-105**, 106, 112
punição 22, 26-27, 28

Q

QI (quociente de inteligência) 90-91
questionários 10

R

raciocínio 58-59
racional emotiva comportamental, terapia 113
racismo 27, 129
raiva 132-133
Ramachandran, Vilayanur 48-49
Ramón y Cajal, Santiago 40, **44-45**
recompensa 26-27, 28, 94
reforço
  acidental 34
  positivo e negativo 26-27
regras 29
relacionamentos 144-145
religiosas, seitas 131
repressão 110
Revonsuo, Antti 51
rima 81
Rogers, Carl 96, 114
Rowe, Dorothy 99
Rutter, Michael 15

S

Schacter, Daniel 66
seasonal affective disorder (SAD) 116
Segunda Guerra Mundial 122, 126
Seligman, Martin 99, 114-115
sentidos 76-77
Shepard, Roger 78
Sherif, Muzafer 137
Siffre, Michel 51
Simon, Théodore 90
sinestesia 49
sinapse 40
sináptica, transmissão 40-41
situacionismo 97
Skinner, B. F. 20, 26-27, 56, 72, 94
sociais, normas 27, 29, 128-129
sociais, rede de contatos 146
social, psicologia 85, **120-123**, 128-129
social, teoria da aprendizagem 27
social, vadiagem 141
sonambulismo 53
sonhos **50-51**, 61
  interpretação de 103, 111
sono **50-51**, 52, 59
Spearman, Charles 91
Sperry, Roger 43
Stanford, experiência na prisão de 123
Sternberg, Robert 91, 144-145
superalimentos 65
superstição 34
Szasz, Thomas 101, 105, 107

T

televisão 27, 135
terapia 112-113
testemunhas oculares, relatos de 62, 63, 81
Thatcher, Margaret 142
Thorndike, Edward 19, 20, 26, 32-33, 56
tipos, teoria dos 86, 96, 97
Tolman, Edward 21, 58
Tononi, Giulio 46, 47
trabalho
  condições de 71
  motivação 95
traços, teoria dos 86 , 96, 97
trepanação 113
três faces de Eva, As (filme) 97
tridimensional, percepção 77
Triplett, Norman 140
tristeza 98-99
Tulving, Endel 61, 64-65
Tversky, Amos 58-59

V

valores 89
velhice **32-33**, 144
vício 53, **100-101**, 117
videogames 35, 132
violência 132-133
  em filmes e jogos 35,132
visão 48, 77, 78-79
vívidas, memórias 60, 61
Vygotsky, Lev 25, 57

W

Watson, John B. **18-19**, 26, 56, 85, **130-131**
Weisberg, Deena 39
Wernicke, Carl 42, 72
Wertheimer, Max 76, 126
Whyte, William H. 136
Wolpe, Joseph 112-113
Wundt, William 46

Z

Zajonc, Robert 93, 130, 140-141, 144
Zeigarnik, Bluma 61
Zimbardo, Philip 123, 124, 135

Agradecimentos

A Dorling Kindersley agradece a Jeongeun Yule Park, pela assistência de design, a John Searcy, pela revisão, e a Jackie Brind, pelo índice.

A editora agradece às pessoas a seguir pela gentil autorização para reproduzir suas fotografias:

(Legenda: a-alto; b-abaixo/embaixo; c-centro; e-esquerda; d-direita; t-topo)

6 Dorling Kindersley: Whipple Museum of History of Science, Cambridge (cd). **Getty Images:** Pasieka / Science Photo Library (ce); Smith Collection / Stone (c). **7 Getty Images:** Rich Legg / E+ (cd). Pearson Asset Library: Pearson Education Ltd / Studio 8 (cea). **12 Corbis:** Matthieu Spohn / PhotoAlto. **15 Science Photo Library:** Science Source (bd). **17 Pearson Asset Library:** Pearson Education Ltd / Tudor Photography (td). **29 Pearson Asset Library:** Pearson Education Asia Ltd / Terry Leung (bd/boneco). **30-31 Dorling Kindersley:** Dr. Patricia Crittenden (retrato). **36-37 Getty Images:** Laurence Mouton / PhotoAlto. **39 PunchStock:** Image Source (bd). **42 Bright Bytes Studio:** fotografia de daguerreótipo por Jack Wilgus (bc). **44-45 Dorling Kindersley:** Science Photo Library (retrato). **48-49 Dorling Kindersley:** Rex Features / Charles Sykes (retrato). **54 Corbis:** momentimages / Tetra Images. **62-63 Dorling Kindersley:** Cortesia de UC Irvine (retrato). **69 Corbis:** Martin Palombini / Moodboard (bd/gorila). **70 Dorling Kindersley:** Science Photo Library / Corbin O'Grady Studio (retrato). **72 Pearson Asset Library:** Pearson Education Asia Ltd / Coleman Yuen (bc). **75 Dreamstime.com:** Horiyan (bd/mesa). **78 Corbis:** Peter Endig / DPA (be). **82 Getty Images:** Robbert Koene / Gallo Images. **85 Getty Images:** Image Source (bd). **87 Pearson Asset Library:** Pearson Education Asia Ltd. / Coleman Yuen (bd). **88-89 Dorling Kindersley:** Corbis / Bettmann (retrato). **93 Corbis:** John Woodworth / Loop Images (bd). **97 Corbis:** John Springer Collection (bd). **107 Pearson Asset Library:** Pearson Education Ltd. / Jon Barlow (bd). **111 Pearson Asset Library:** Pearson Education Ltd. / Jörg Carstensen (bd). **115 Pearson Asset Library:** Pearson Education Ltd. / Lord and Leverett (bd). **118-119 Corbis:** Stretch Photography / Blend Images. **121 Corbis:** Chat Roberts (td). 125 Pearson Asset Library: Pearson Education Ltd. / Tudor Photography (bd). **126-127 Dorling Kindersley:** Solomon Asch Center for Study of Ethnopolitical Conflict. **129 Corbis:** John Collier Jr. (bd). **132 Dreamstime.com:** Horiyan (bc/mesa). **134-135 Dorling Kindersley:** Manuscripts and Archives, Yale University Library / Cortesia de Alexandra Milgram (retrato). **137 Corbis:** Geon-soo Park / Sung-Il Kim (bd). **143 Corbis:** Adrian Samson (bd). **144 Corbis:** Hannes Hepp (bc).

Veja mais informações em:
www.dkimages.com